D1430902

Éditions Druide
1435, rue Saint-Alexandre, bureau 1040
Montréal (Québec) H3A 2G4

www.editionsdruide.com

ÉCARTS

Collection dirigée par
Normand de Bellefeuille

L'ÉQUATION DU TEMPS

Catalogage avant publication de Bibliothèque et Archives nationales du Québec et Bibliothèque et Archives Canada

Landry, Pierre-Luc, 1984-
L'équation du temps : roman

ISBN 978-2-89711-028-4
I. Titre.

PS8623.A521E68 2013 C843'.6 C2013-940243-8
PS9623.A521E68 2013

Direction littéraire : Normand de Bellefeuille
Édition : Luc Roberge et Normand de Bellefeuille
Révision linguistique : Diane Martin et Isabelle Chartrand-Delorme
Assistance à la révision linguistique : Antidote 8
Maquette intérieure : Anne Tremblay
Mise en pages et versions numériques : Studio C1C4
Conception graphique de la couverture : www.annetremblay.com
Photographie en couverture : Carlos Henrique Reinesch
Photographie de l'auteur : Maxyme G. Delisle
Diffusion : Druide informatique
Relations de presse : Mireille Bertrand

L'auteur remercie le Conseil de recherches en sciences humaines du Canada (CRSH) et le Fonds québécois de recherche sur la société et la culture (FQRSC) pour leur soutien financier.

ISBN papier : 978-2-89711-028-4
ISBN EPUB : 978-2-89711-029-1
ISBN PDF : 978-2-89711-030-7

Éditions Druide inc.
1435, rue Saint-Alexandre, bureau 1040
Montréal (Québec) H3A 2G4
Téléphone : 514-484-4998

Dépôt légal : 1er trimestre 2013
Bibliothèque nationale du Québec
Bibliothèque nationale du Canada

www.editionsdruide.com

Imprimé au Canada

Pierre-Luc Landry

L'ÉQUATION DU TEMPS

roman

Druide

Pour GMA
À cause de tous les autres

Un merci tout spécial à Normand

DOROTHÉE : Ça sert à quoi de réécrire sa vie si on peut pas en corriger des bouts ?

SAMUEL : Le passé, c'est une fatalité. On ne peut rien y changer.

— Michel Marc Bouchard,
Les Manuscrits du déluge

PROLOGUE

Ariane

Décalage horaire

À l'endroit où les fleuves se jettent dans la mer, il se forme une barre difficile à franchir, et de grands remous écumeux où dansent les épaves. Entre la nuit du dehors et la lumière de la lampe, les souvenirs refluaient de l'obscurité, se heurtaient à la clarté et, tantôt immergés, tantôt apparents, montraient leur ventre blanc et leur dos argenté.

— Boris Vian, *L'écume des jours*

Je n'avais rien à faire hier et le temps me semblait s'écouler plus lentement que d'habitude. J'ai mangé un tas de biscuits et de carottes, j'ai bu trois verres de lait puis j'ai eu mal au ventre. Je suis sortie me promener. Il n'y avait rien à voir, le quartier au complet semblait dormir. Je me suis rendue au dépanneur au coin de la rue pour acheter une jolie bouteille d'eau importée. Mes pas m'ont menée ensuite au petit parc en bas de la côte, où je me suis arrêtée pour boire un peu. Le goût de l'eau était assez standard, ça ne valait peut-être pas la peine de payer trois dollars pour ça, mais la bouteille était belle et ça me suffisait. J'ai marché ensuite jusqu'à l'escalier qui mène à la Basse-Ville et j'ai regardé les voitures descendre la côte d'Abraham à toute vitesse. J'ai détaillé les lumières des édifices sur le boulevard Charest, puis je me suis assise sur un banc et j'ai écouté de la musique.

Quand je suis revenue chez moi, la télévision était allumée. Il me semblait pourtant que je l'avais éteinte avant de partir.

Il faisait chaud. Et ma bouteille d'eau était vide.

Je me suis assise sur le divan et j'ai regardé ce qui jouait à la télé. Un documentaire sur les horloges. Au début, c'était vraiment ennuyant. Une femme montrait différents mécanismes et parlait d'un roi quelconque, un roi qui avait fait quelque chose par rapport à un type d'horloge en particulier. J'écoutais à moitié. Je me rongeais les ongles, plutôt. Et je pensais à ce que j'allais manger le lendemain midi.

Après quelques pauses publicitaires, le documentaire est devenu plus intéressant. Il y avait une astrophysicienne, je pense, une femme du domaine des sciences, qui expliquait comment ils avaient découvert que les horloges et les cadrans solaires ne donnaient pas toujours la même heure par rapport au moment de l'année. Au début, les gens ont pensé que les horloges étaient brisées et les horlogers ont eu beaucoup de problèmes, mais plus tard, un monsieur de Fouchy ou quelqu'un avec un nom semblable a fait un calcul avec l'orbite de la Terre qui n'est pas ronde et son axe et ça a permis de comprendre que le temps solaire vrai n'était pas toujours égal au temps moyen donné par les horloges. Après, ils ont parlé d'une équation du temps pour corriger ça. Ils ont montré des graphiques avec des lignes courbes. Si j'ai bien compris, on peut être en avance ou en retard sur l'heure « réelle ». Il n'y a que quatre fois dans l'année où les horloges indiquent exactement l'heure solaire vraie.

J'ai trouvé cette partie du reportage assez intéressante, même si c'était difficile à suivre. L'astrophysicienne expliquait que, en hiver, les jours ne raccourcissent pas comme on le pense parce que, en fait, l'après-midi s'allonge tandis que c'est la durée du matin qui diminue. La femme a ensuite parlé de l'adoption de lois sur l'heure par différents pays.

Avant ce moment historique, il pouvait être un peu n'importe quelle heure et le jour ne commençait pas toujours à minuit, selon les différentes traditions. Par contre, quand ils ont abordé la question des fuseaux horaires dans le reportage, là je n'ai plus rien compris. Bon, je sais que je résume très mal le propos du documentaire, mais je n'ai jamais eu la prétention de dire que je suis douée pour communiquer des choses complexes. D'habitude, les gens ne me comprennent pas trop quand je parle.

Et tout ça m'a fait penser à ma vie qui est pas mal insignifiante. Par rapport à la vérité du monde, je veux dire. Je ne comprends rien à l'univers et en général je vis bien avec mon ignorance, mais quand j'arrive à saisir des trucs comme cette équation du temps, j'ai l'impression que tout va s'écrouler, qu'on va tous mourir. Évidemment qu'on va tous mourir, que je me dis ensuite. Évidemment que je suis toute petite et que l'univers est infini. Mais ça ne m'empêche pas de penser qu'il y a quelque chose qui cloche avec moi, que je ne m'occupe pas de choses assez importantes, que je n'aurai aucun impact dans le monde, jamais.

J'essaie peut-être trop de mettre de l'ordre dans ma tête. J'essaie de trouver une équation comme celle du temps, une formule mathématique qui me permettrait de comprendre le monde qui m'entoure. J'essaie trop, en général, et je ne suis pas assez intelligente pour y parvenir.

Peut-être que c'est ma façon d'appréhender le réel qui est inadéquate. Peut-être que je ne me pose pas les bonnes questions. Moi, quand j'écoute de la musique, je me dis que j'aime cette chanteuse-là d'un amour inconditionnel parce que son âme est pure, ou encore que je ne peux tolérer cette autre chanteuse à cause de son air niais. Je ne pense pas en termes de philosophie du mouvement musical ou de renouveau de la pensée occidentale. Je vis mon existence comme une passionnée et c'est peut-être pour ça que tout le monde pense que je suis folle.

Je sais bien que je ne suis pas folle, ni dérangée, ni même légèrement fêlée. Je suis quelqu'un de très normal. Je sais aussi que je devrais arrêter de chercher cette équation du temps qui me serait propre. Que je devrais plutôt avancer comme tout le monde. Mais c'est plus fort que moi. Je me lance dans des débats sans fin avec ma propre conscience. Et la seule façon de m'en sortir, c'est de me laisser complètement absorber par un film que je trouve beau, par un livre que j'ai lu dix fois déjà, ou encore par un disque qui saute tellement je l'ai écouté.

C'est ça, ma vie.

Dommage que je ne sache pas bien écrire. Parce que j'écrirais. Un roman, tiens. Je me mêlerais de la vie des autres pour faire semblant de mettre de l'ordre dans la mienne. Si j'écrivais, c'est exactement ce que je ferais.

PREMIÈRE PARTIE
Chaque matin je me réveille

No, this is how it works
You peer inside yourself
You take the things you like
And try to love the things you took
And then you take that love you made
And stick it into some
Someone else's heart
Pumping someone else's blood
And walking arm in arm
You hope it don't get harmed
But even if it does
You'll just do it all again

— Regina Spektor, *On the radio*

I — Émile

Il faut que je me souvienne de tout. Je ne veux rien oublier de ces quelques jours qui ont précédé ma fuite. Mes souvenirs sont flous et je dois combattre l'oubli. Je ne raconte pour personne d'autre que moi.

À l'époque, j'étais un adolescent très théâtral, mais je l'ignorais. J'étais seul au monde parce que j'en avais décidé ainsi. Je lisais comme un boulimique ; je trouvais la fiction plus vraie que la réalité. Je buvais du mauvais vin pour le seul plaisir de pouvoir m'endormir rapidement. Je ne parlais à personne et je méprisais tout le monde. Moi le premier.

Je n'exagère rien, parce que c'est comme ça que je vivais les choses, de façon toujours beaucoup trop tragique.

J'ai couru un long moment. De l'école jusqu'au terrain de jeux abandonné, de l'autre côté de l'île. Sans m'arrêter, pas même pour reprendre mon souffle. Puis je me suis effondré sur le tourniquet en mouvement, les yeux levés vers le ciel, et je me suis laissé étourdir. J'ai eu envie de vomir. Je me suis relevé et j'ai titubé jusqu'à la vieille balançoire rouillée. Je me suis assis et j'ai crié. J'ai tout de suite arrêté de penser à Monsieur Bennington. Je savais que ce serait plus facile de passer à travers l'année si je ne pensais pas constamment à mon professeur de français, mais c'était plus fort que moi et il n'y avait personne d'autre vers qui je pouvais diriger mes rêveries. Surtout pas les autres élèves de ma classe. Les filles, ça ne me disait rien, et les gars étaient tous beaucoup trop idiots pour que je m'intéresse à l'un d'entre eux. De toute façon, je ne cherchais pas à être amoureux de quiconque, c'était venu comme ça, sans prévenir, et je n'avais rien pu faire pour contrer cette pulsion étrange.

La balançoire, ça m'a calmé. Je me suis laissé bercer durant plusieurs minutes et je n'ai pensé à rien. J'ai fait le vide. Tellement qu'à un moment je me suis demandé si j'existais encore. Je me suis jeté par terre pour vérifier si j'allais ressentir la douleur. Des petits cailloux ont entaillé mes genoux. Ça chauffait. J'étais encore vivant, mais je me sentais étrangement absent. Pendant ce temps, les nuages ont envahi le ciel et on n'y voyait plus de bleu, seulement du blanc et du gris.

Je me suis relevé et j'ai enlevé la terre collée sur mes genoux. L'air était frais. Enfin. Nous venions de passer un été beaucoup trop chaud et l'automne tardait à venir. J'ai inspiré longuement. Puis j'ai expiré avec violence, d'un seul coup. Ça m'a étourdi un peu. J'ai recommencé. J'ai inspiré avec lenteur, le plus longtemps possible. L'air froid du mois de septembre agonisant me saoulait, me donnait mal aux poumons. L'oxygène s'est répandu dans tout mon corps, jusqu'à ma tête qui s'est mise à tourner. Je sentais l'air se transformer en lumière, puis voyager dans mon corps par mes veines. D'immenses rayons lumineux se sont extirpés de mes yeux, de ma bouche, du bout de mes doigts. Je suis devenu lumière.

::

J'ai fait semblant de dormir. Je ne savais pas si les gens dorment d'habitude, après un évanouissement, mais j'ai choisi de faire semblant de dormir quand même. Je pouvais dire que j'étais épuisé, de toute façon. Ça marchait toujours avec mes parents, ils me laissaient dormir tout le jour.

::

Lorsque j'ai ouvert les yeux, j'ai eu droit à une déferlante de questions. L'infirmière voulait comprendre.

— As-tu mangé ce midi ? Est-ce que tu te sens mieux ? Est-ce qu'il y a quelque chose dont tu voudrais me parler ?

Je n'ai pas réagi. Elle prenait un air faussement inquiet qui m'énervait. Je ne voulais pas montrer quoi que ce soit, de toute façon. Elle ne devait pas savoir ce qui se passait, parce que tout d'abord il ne se passait rien et que, même s'il se passait quelque chose, je ne voudrais en parler à personne, surtout pas à quelqu'un de l'école. Si je le faisais, ils en discuteraient en réunion et appelleraient mes parents pour nous convoquer tous les trois à une petite rencontre avec un intervenant ou un travailleur social. C'était déjà arrivé, et je savais que ça se reproduirait.

Je me suis levé, j'ai pris mon sac et j'ai souri à l'infirmière. J'ai ouvert la porte de son bureau et je suis parti sans rien dire. J'ai marché. Quand on habite une île perdue au milieu de l'océan, le bout du monde n'est jamais bien loin. L'horizon est toujours là qui attend. J'espérais donc parvenir à ce point où le ciel rejoint la mer et où ils se confondent tous les deux, là où l'on ne peut plus dire où commence le ciel et où finit la mer. C'était impossible, bien sûr, mais je rêvais souvent, la nuit, que je me jetais en bas d'une falaise et que, au lieu de tomber dans l'eau, je me mettais à voler et j'arrivais à cet endroit magnifique où je me perdais définitivement. J'ai grimpé au sommet de la colline qui surplombe la ville et j'ai observé jusqu'à l'ivresse le mouvement incessant des vagues contre la falaise.

Le vent s'est levé et s'est mêlé aux gémissements de la mer. Le soleil a amorcé sa descente et les couleurs ont gagné en intensité. Les rouges se sont mis à me crever les yeux et les verts un peu jaunis de l'herbe des collines ont apaisé la brûlure. J'ai senti monter en moi un frisson immense, une sorte d'extase presque mystique. J'aurais aimé que le coucher de soleil ne se termine jamais, que les couleurs soient toujours aussi puissantes, que le monde soit toujours aussi beau. Je me suis levé, incapable de supporter une seconde de plus la sécheresse de ma peau. J'avais envie de cracher mes poumons et de les vider de tout le sel qui s'y était accumulé depuis trop longtemps déjà. J'ai descendu la colline en courant, les yeux fermés, sans m'arrêter. J'ai traversé la ville et je me suis rendu à la plage déserte. Sans prendre le temps d'enlever mes souliers ni mes vêtements, je me suis jeté dans l'eau froide et j'ai continué à avancer. Jusqu'à ce que ma tête soit complètement immergée. Puis j'ai nagé un peu avant de regagner le rivage. Je me suis rappelé que j'avais une bouteille de vin dans mon sac, que j'ai ouvert aussitôt. Mes livres étaient tout mouillés. Je les ai étendus sur une roche plate et je me suis couché sur le sable.

Plus tard, en tournant la petite rue qui mène à l'Anse-du-Nord, je me suis retrouvé face à Monsieur Bennington. Il avait l'air surpris de me voir là, à cette heure. Il m'a regardé sans rien dire et ça m'a troublé. Il savait que j'avais bu. Mon haleine me trahissait. Il allait me demander où je m'étais procuré ce vin, et je n'avais pas envie de lui mentir, mais je n'avais pas envie non plus de lui avouer que je l'avais trouvé dans le sous-sol de la vieille chapelle, juste à côté de chez lui. Parce qu'il habite l'ancien presbytère. Je ne voulais pas qu'il sache que, depuis qu'il s'était installé sur l'île à la fin de l'été, juste avant le début des cours, j'avais passé plusieurs nuits à l'espionner en buvant ce vieux vin de messe. J'ai donc souri bêtement, mais l'effort a été si considérable que je me suis mis à pleurer. Ce n'était pas du tout le bon moment pour le faire, mais c'était plus fort que moi. Il a soupiré et m'a pris dans ses bras. Tout ira bien, qu'il m'a dit, mais je savais que c'était un mensonge, une politesse d'usage davantage qu'une vraie promesse. Tout n'irait pas bien, parce que tout n'allait déjà pas bien.

: :

Je n'ai pas pleuré longtemps. Je ne pleurais jamais bien longtemps parce que je n'étais pas vraiment triste. Mais le malaise ne s'estompait pas, même une fois l'effet de l'alcool dissipé. En fait, il était encore plus intense quand je n'étais pas intoxiqué. J'étais vide et incomplet et tout à fait conscient qu'il me manquait quelque chose pour que ma vie ait un sens. Je n'arrivais pas à saisir ce que c'était, mais je le savais. J'avais toujours mal au ventre, comme si on me tordait l'estomac de l'intérieur.

Il m'a invité chez lui. Tu pourras dormir sur le divan, qu'il m'a dit. Je ne sais pas pourquoi j'ai choisi de lui faire confiance. Peut-être parce qu'il avait l'air de comprendre ou parce qu'il ne posait pas de questions. Ça me plaisait d'avoir la paix comme ça.

Je me suis enveloppé dans des couvertures qui sentaient la lessive fraîche. Le vent se déchaînait à l'extérieur. C'était la première tempête de l'automne. La pluie battait contre les fenêtres, on ne voyait rien de ce qui se passait dehors. Les arbustes pouvaient bien être arrachés, les maisons pouvaient disparaître sous des dunes immenses, les champs pouvaient se couvrir de débris de toutes sortes rapportés par la mer furieuse, et les algues des grands fonds pouvaient envahir les plages, rien ne me dérangeait. Je me suis endormi.

Il m'a réveillé avant les premiers rayons du soleil. Je devais partir. Je ne pouvais pas rester, parce que ce n'était pas bien. Il ne fallait surtout pas que quiconque sache. Parce qu'un professeur, même sur une petite île comme la nôtre, ne doit pas inviter ses élèves à dormir sur son divan. On s'imaginerait bien des choses, il pourrait perdre son emploi et on me ferait la vie dure avec cette histoire que tout le monde allait raconter n'importe comment. Je lui ai dit que ça m'était bien égal, qu'une rumeur de plus ne viendrait pas changer grand-chose dans ma vie, mais il n'a rien voulu entendre. J'ai pris mon sac et mon manteau et je suis sorti.

Dehors, tout était calme, il était encore très tôt. La ville dormait dans la douce pénombre de l'aube qui commençait à peine à poindre. Les vents de la veille avaient cessé, il ne pleuvait plus. Je me suis dirigé vers les falaises. Je n'avais pas envie de rentrer chez moi. La marée était haute, l'air du large était froid. Je me suis approché du précipice. J'ai ouvert les bras et j'ai pris une grande respiration. J'ai fermé les yeux et j'ai sauté.

J'ai eu tout de suite très froid. Mes membres engourdis n'ont fait aucun effort pour hisser mon corps à la surface. Je savais que je n'allais pas mourir. Comme appesanti, j'ai flotté entre deux eaux. Le froid m'engourdissait encore davantage. Je me suis laissé bercer par le courant. J'avais mal, et je me sentais tout à fait vivant.

: :

Je me suis réveillé dans la clinique du docteur Green. Je portais un masque à oxygène réchauffé et on m'avait mis un soluté. Ma mère pleurait à mes côtés. Mon père dormait sur la chaise près de la fenêtre. J'ai aussitôt refermé les yeux. Mais il était trop tard. Ma mère m'avait vu et elle a secoué mon père, qui a émergé de son sommeil en se levant d'un seul bond.

— Émile, c'est moi. Tu m'entends ?

Elle tenait ma main très fort, ça me faisait mal. J'ai essayé de me dégager.

— Émile, dis quelque chose, a ajouté mon père.

— Je n'ai rien à dire. Ce n'est pas de ma faute.

Je n'avais en effet rien à dire. Je taisais tout à mes parents depuis si longtemps, les choses importantes comme les plus banales, que je ne savais pas quel mensonge inventer. Parce qu'il était hors de question que je leur explique ce qui venait de se passer.

— Tu n'as rien à nous dire ?

Le visage de mon père était crispé et fatigué. Ses yeux injectés de sang me dévisageaient.

— Nous, on aimerait savoir ce qui t'arrive, a-t-il continué. Madame Molinaro nous a téléphoné à cinq heures du matin pour nous dire que son mari venait de te repêcher après que tu te sois jeté du haut d'une falaise. Il doit bien y avoir une explication à tout ça, non ?

Ma mère, de l'autre côté du lit, pleurait en silence.

— Non, je n'ai rien à vous dire.

J'ai eu envie, un instant, d'inventer une histoire complètement débile. De leur raconter que quelqu'un m'avait poussé, mais que je ne savais pas qui c'était parce que je lisais face à la mer et que je ne l'avais pas entendu arriver. Mais si Monsieur Molinaro m'avait vu, alors je ne pouvais pas dire n'importe quoi.

Le docteur Green est entré dans la pièce et a demandé à mes parents de sortir quelques minutes, le temps qu'il fasse certains tests pour voir comment je m'en tirais. Il s'est avancé vers moi pour prendre ma pression. Il me regardait sans rien dire.

— Ce n'est pas de ma faute, je vous le jure.

Il valait mieux que je me défende tout de suite avant qu'il ne m'accuse de quoi que ce soit.

— Émile, j'en ai assez de tes histoires. Le bateau du vieux Clark, l'alcool, la falaise… ce sera quoi, la prochaine fois ?

— Je suis tombé, c'est tout.

Le ton est monté d'un cran.

— Je sais que tu traverses un moment difficile, mais personne ne pourra t'aider si tu agis comme un enfant et, surtout, si tu nous mens comme ça.

J'ai voulu répondre, mais je me suis étouffé avec ma salive. J'ai toussé longtemps. Mon corps protestait.

Et puis, qu'est-ce qu'il savait à propos de moi, lui ? Rien. Personne ne savait rien parce que moi-même je ne pouvais pas expliquer pourquoi j'agissais comme ça. Je lui avais bien dit, au docteur Green, que je n'arrivais pas à m'endormir et que c'est pour cela que je buvais du vin, mais il m'avait répondu que ce n'était pas une raison pour voler une chaloupe. Depuis, je ne lui disais plus rien.

— Puisque je vous dis que vous vous trompez. Ce n'est pas que je passe un mauvais moment. C'est cette île qui veut me tuer…

Il a éclaté de rire avant de m'enfoncer un thermomètre dans la bouche.

Le con.

Nous sommes restés silencieux tous les trois durant le trajet de retour à la maison. Puis ma mère a fait de la soupe. J'ai bu un peu de bouillon, mais j'avais mal au cœur. Mon père a parlé. Je n'ai rien dit. Ma mère a crié. Qu'est-ce qu'ils avaient fait pour que je les déteste comme ça ? Pourquoi est-ce que j'agissais comme si tout le monde était contre moi ? Est-ce que je voulais attirer leur attention sur quelque chose ? Et qu'est-ce que les gens allaient penser, qu'est-ce qu'ils allaient raconter dans notre dos ? C'est une petite ville, tout se sait. J'ai protesté un peu, pour la forme, parce que je n'avais pas la force de gueuler. Et ça n'allait rien changer, de toute façon.

Je leur ai dit que j'avais besoin d'être seul. Ils m'ont répondu que l'infirmière leur avait conseillé d'enlever la porte de ma chambre et de m'avoir à l'œil pendant les prochaines semaines. J'étais un cas à risque, semble-t-il. Je leur ai assuré que je n'avais pas voulu mourir, ce matin, que je voulais simplement me baigner un peu mais que j'avais été surpris par l'eau froide. Ils ne m'ont peut-être pas cru, mais ils ont accepté de ne pas enlever la porte de ma chambre et de me laisser tranquille. J'étais fatigué et j'avais toujours froid. Et puis c'était vrai, je n'avais pas envie de mourir.

Je me suis enfoui sous les couvertures et j'ai écouté de la musique toute la nuit. J'ai dormi un peu et j'ai rêvé que je quittais cette île, que je rejoignais le continent pour de bon. C'était comme dans un de ces vieux films où un personnage débarque du train avec une valise carrée dans la main. Un film en noir et blanc. J'étais seul sur le quai, je descendais à peine d'un traversier. Je n'avais qu'une valise et un grand mouchoir.

Je ne suis pas allé à l'école de la semaine. Je suis resté enfermé dans ma chambre et j'ai mangé des craquelins et du bouillon tous les jours. Ma mère venait me voir le matin, elle me suppliait de lui parler. De n'importe quoi, de l'école, de mes amis, de la musique que j'écoutais, des livres que je lisais. Mon père m'apportait à manger à tous les repas. Il me demandait si je me sentais bien, si j'avais envie de les rejoindre dans la cuisine. Ils agissaient comme des parents parfaits et ça me rendait de très mauvaise humeur. J'aurais aimé qu'ils hurlent, qu'ils me frappent, j'aurais aimé qu'ils me jettent dehors, qu'ils réagissent autrement. Ils comprenaient, je pense, et ça me faisait chier.

Lorsque je me suis senti mieux, je me suis frappé au visage deux ou trois fois. J'ai saigné du nez un long moment. Ça m'a plu. Je me suis senti vivant.

Puis je suis sorti. J'ai apporté un sac de couchage et quelques boîtes de craquelins. Une lampe de poche et un vieux roman aux pages jaunies que j'avais trouvé dans une boîte de la réserve à la bibliothèque de l'école. La bibliothécaire m'avait dit que je pouvais prendre ce que je voulais. La pièce était pleine de boîtes de livres jamais empruntés ou de livres qui avaient été donnés par d'anciens étudiants et qu'elle n'avait pas encore eu le temps de classer. J'avais choisi ce livre pour l'image de la couverture qui montrait un homme en costume d'époque avec une canne. Il se tenait sur un rocher et faisait face à la mer. On le voyait de dos, surplombant les vagues. J'ai tourné les pages. C'était le détail d'une toile de Caspar David Friedrich, *Le voyageur au-dessus de la mer*.

Je suis allé jusqu'au vieux phare de la Butte et j'ai forcé la porte. Je l'ai refermée derrière moi et je me suis enfoncé dans la cave, où j'ai passé deux jours et deux nuits à lire et à manger des craquelins. Puis, quand j'ai choisi de remonter à la surface de la terre et de revenir au monde, j'étais si fatigué que j'ai déboulé les escaliers et je me suis foulé la cheville. J'ai dû me traîner jusque chez moi et demander à mes parents de me ramener à la clinique. Le docteur Green m'a prescrit un médicament contre la douleur et l'inflammation. J'avais belle allure, avec mon œil mauve et ma démarche boiteuse. Cette fois, personne ne m'avait posé de questions. J'ai trouvé ça louche, mais je n'allais quand même pas leur en faire part.

::

Je suis entré au cours de français le lundi suivant avec un léger retard calculé. Et j'ai obtenu l'effet escompté. Monsieur Bennington s'est arrêté de parler un instant. Je ne sais pas à quoi il pensait, mais je voulais qu'il me remarque, qu'il voie mon œil mauve encore enflé, qu'il voie ma douleur lorsque je mettais un peu de poids sur mon pied gauche. Il y avait déjà une semaine qu'il ne m'avait pas vu. Il devait savoir, pour l'hypothermie. Et ça s'était passé juste après que je sois parti de chez lui.

Le silence n'a duré que quelques secondes, mais dans le contexte, il était flamboyant. Tout le monde m'a observé sautiller vers mon bureau, sans rien dire. J'ai regardé Monsieur Bennington dans les yeux, mais il s'est tout de suite détourné. Il a repris son cours comme si rien ne s'était passé. *Moment's over*, me suis-je dit.

Il y a eu un atelier ; il fallait répondre à des questions sur un texte, je ne me souviens plus duquel. J'ai dû former une équipe avec le gars étrange qui était assis juste à côté de moi. Je dis « étrange », mais, en réalité, il n'était pas *vraiment* étrange. Par rapport à moi, je veux dire. Partout où il allait, il ne se défaisait jamais de son lecteur de disques. Il avait toujours des écouteurs sur la tête et il ne parlait jamais à personne. Il n'avait pas d'amis et en cela j'imagine qu'on se ressemblait lui et moi. On aurait pu penser que nous étions faits pour nous entendre, mais il y avait quelque chose qui m'empêchait de m'intéresser à lui en tant qu'individu. Il n'était pas très joli, tout d'abord, mais ce n'était pas la raison de ma réticence. Pendant l'atelier, il m'a demandé si j'aimais les bandes dessinées. Je lui ai répondu que je ne savais pas, parce que je n'en lisais pas beaucoup. Il m'a dit qu'il voulait faire de la bande dessinée plus tard, qu'il avait déjà une bonne idée de l'histoire qu'il voulait écrire. Un truc avec un super héros qui peut voyager dans le temps parce que c'est lui qui le contrôle, le temps. Son projet partait d'un sujet qu'il avait étudié dans son cours de physique, une équation du temps ou quelque chose du genre. Il m'a montré des dessins qu'il avait faits. C'était horrible, alors je le lui ai dit. Il s'est fâché et m'a poussé. Je suis tombé en bas de ma chaise, sur ma cheville, et j'ai eu très mal. Ça m'a mis en colère, alors je l'ai frappé au visage après m'être relevé. Il a hurlé que je venais de lui casser le nez. Monsieur Bennington est intervenu pour nous séparer et il nous a envoyés au bureau du directeur.

Le directeur a fait venir la psychologue pour discuter avec nous de mes problèmes. L'autre gars n'a pas été retenu longtemps. Le directeur lui a demandé de s'excuser de m'avoir poussé. Il l'a fait, puis il a pu partir. J'ai dû rester parce que, apparemment, je suis un cas difficile. Ils m'ont posé encore un tas de questions et j'ai encore refusé de répondre. Je leur ai dit que je n'avais pas de rage ni de désespoir, puis j'ai cessé de parler. Mais, cette fois, mon silence ne leur a pas fait peur. Ils ont continué à me poser des questions.

— Qu'est-ce que vous voulez entendre ? Qu'est-ce que je dois inventer pour que vous me laissiez tranquille ?

Ils ont dit que ma colère cachait certainement quelque chose, ils ont dit que j'avais peut-être oublié ce qui me rendait si agressif. Ils voulaient que je leur dise que mon père me violait ou que ma mère me battait, un truc du genre. J'ai presque avoué, même si ce n'était pas vrai, pour qu'ils se taisent. Mais je me serais donné en spectacle et je n'en avais pas envie.

— Émile, tu sais que tu peux nous faire confiance, a dit le directeur.

Je ne voulais faire confiance à personne parce que je n'avais rien à confier. Et je savais qu'ils allaient ridiculiser ma situation. Tout le monde est amoureux au moins une fois dans sa vie, qu'ils m'auraient dit. Mais j'étais certain qu'ils ne savaient pas ce que c'est que l'amour, que moi-même je ne pouvais pas accéder à cette connaissance parce que personne ne sait ce que c'est, en réalité. J'imagine que je suis amoureux, mais qu'est-ce que j'en sais, après tout ? Rien, et c'est ce qui est terrible. Ne jamais savoir ce qu'il en est.

Je me suis tout simplement levé et j'ai quitté le bureau sous leurs regards consternés.

Dehors, l'air était lourd, la mer houleuse, l'horizon noir. Un orage se préparait. Le vent remuait les arbustes et transportait avec lui le sable fin de la plage, fouettant mon visage découvert.

J'ai traversé la ville pour me rendre à l'extrémité sud de l'île, près de la Pointe-à-l'Échouerie. Là, je me suis installé sur un gros rocher face à la mer et j'ai attendu. L'ancien phare de la Butte se dressait devant moi, à quelques dizaines de mètres seulement. Il était envahi par les oiseaux nicheurs, qui avaient senti la tempête arriver et qui s'étaient réfugiés sur le balcon, tout en haut, près de la lumière qui n'éclairait plus depuis plus de cinquante ans, disait-on. Pas très loin derrière moi se trouvait le vieux presbytère, là où habitait Monsieur Bennington.

Il ne fallait pas que je pense à lui.

Les vagues ont pris de l'ampleur et sont montées jusqu'au rocher où j'étais assis. Mes vêtements ont vite été mouillés. Le ciel s'est assombri. Une brume noire et opaque entourait l'île. Au loin, le tonnerre a commencé à gronder. On ne distinguait plus aucune couleur, sauf des gris et des noirs.

J'ai fermé les yeux pour mieux apprécier la gifle du vent sur mon visage. Je devais m'agripper au rocher pour ne pas être emporté. J'ai renversé la tête et ouvert la bouche. Quelques gouttes sont tombées sur mon visage, une ou deux sur ma langue. Puis les nuages se sont déchirés, la pluie s'est déchaînée et le vent m'a jeté sur le sable mouillé. Les vagues se couchaient sur moi et se retiraient ensuite.

Je ne voyais plus rien à cause du brouillard et du vent qui charriait un tas de trucs venus de la mer. J'avalais la pluie et l'eau de la mer. Je me suis étouffé, puis j'ai éclaté de rire.

Je me suis levé et j'ai marché un peu. Je m'étouffais, tombais, me relevais et riais. Je me suis mis à tournoyer. Je tournoyais en regardant le ciel se déchirer sur de violents éclairs. J'offrais mon corps à la tempête, j'étais en pleine extase.

Puis mes pieds se sont emmêlés et je me suis fracassé la tête sur un rocher. Du sang chaud coulait sur mon visage, se mêlait avec la pluie et descendait jusqu'à ma bouche. Je me suis senti très fatigué. J'allais perdre conscience quand quelqu'un m'a attrapé.

Quelqu'un qui se trouvait derrière moi et que je ne pouvais pas voir.

Et je me suis abandonné.

Il n'a pas bougé, a simplement pressé son corps contre le mien. Je sentais son souffle chaud dans mon cou. Ses bras m'entouraient et m'empêchaient de tomber.

La tempête continuait de faire rage, mais le temps s'était arrêté. Exactement comme dans la bande dessinée du gars de mon cours de français. Sauf que je n'étais pas un super héros, je ne contrôlais rien, je me laissais plutôt dominer par le vent, la pluie et les caresses de l'inconnu derrière moi.

Je n'entendais plus rien. Les bruits de la tempête me parvenaient comme en sourdine et je la voyais en noir et blanc. J'ai fermé les yeux pour ne pas mourir. J'ai glissé le long de son corps et je me suis effondré sur le sol, couché dans la boue. La pluie coulait sur mon visage, ou c'était mon propre sang, je ne sais plus.

J'ai ouvert les yeux. Il est descendu sur mon corps. Je ne distinguais pas ses traits, mais je comprenais que sa silhouette grave et distinguée n'était pas qu'une ombre créée par la tempête. Il s'est couché sur moi et m'a embrassé.

J'ai eu mal au ventre, tout d'un coup, comme si on y enfonçait un couteau. Puis le mal s'est transformé en une agréable sensation de chaleur, qui s'est répandue dans tout mon corps.

Il retirait mes vêtements et je me laissais faire, cloué au sol par ses lèvres pressées contre les miennes. J'ai bougé mes mains, je les ai promenées sur son corps à lui. Il m'a demandé de fermer les yeux. J'ai tout de suite obéi. Je ne connaissais pas sa voix, que j'entendais pour la première fois.

Quand j'ai ouvert les yeux, j'étais seul au milieu de la tempête. Mes vêtements gisaient sur le sol, comme moi d'ailleurs. Et lui, il n'était plus là.

: :

Je ne suis pas rentré chez moi ce soir-là. J'ai erré toute la nuit. Je ne savais pas qui ou quoi chercher, ni où, mais je ne voulais pas abandonner. Nous avions entamé quelque chose que je souhaitais finir. Et, pardessus tout, je voulais savoir qui il était.

Je me suis promené sur les falaises puis j'ai marché vers la ville. Mes pas m'ont guidé jusqu'à l'ancien presbytère. Je ne voulais pas voir Monsieur Bennington ; j'ai donc marché quelques minutes dans les rues désertes. La vieille chapelle accueillait la pluie par les ouvertures de son clocher pourri. La centrale électrique fonctionnait à sa pleine capacité. Les fenêtres du presbytère étaient faiblement éclairées.

Sans le vouloir, je me suis de nouveau retrouvé sur le pas de sa porte. J'étais prêt à cogner puisque je ne savais pas quoi faire d'autre. J'ai amorcé le mouvement, mais quelqu'un derrière moi a arrêté mon bras et m'a empêché de frapper sur le bois de la porte. La main de l'inconnu a glissé le long de mon bras et est venue prendre la mienne. J'ai frissonné et il s'est rapproché.

— Émile.

Il avait dit mon nom comme s'il le connaissait depuis toujours. Pourtant, sa voix m'était tout à fait étrangère. J'ai voulu me retourner pour enfin le regarder, mais il a pressé son corps contre le mien pour m'en empêcher. Pas tout de suite, qu'il m'a dit.

Plusieurs minutes se sont écoulées.

Puis je me suis entendu prononcer des mots stupides que je ne pensais pas vraiment.

— Pars, s'il te plaît.

Il s'est retiré doucement. Quelques minutes ont passé. Là, j'ai éclaté. J'ai frappé la porte avec mes poings et mes pieds. Monsieur Bennington a ouvert et m'a invité à entrer. Je pleurais sans m'en rendre compte. Je me suis effondré sur le divan et je me suis aussitôt endormi.

J'ai dormi tout le jour et toute la nuit. Je me suis réveillé le lendemain matin de très bonne heure. L'aube était douce. Nous avons discuté un moment et il a été convenu que je pouvais rester chez lui pendant un certain temps. Mes parents avaient été prévenus et semblaient trouver que c'était une bonne idée. Du moins, c'est ce qu'il m'a raconté.

Lorsqu'il est parti pour donner ses cours, j'en ai profité pour arpenter les quelques pièces du vieux presbytère.

Je me suis couché sur le plancher de bois de la chambre et j'ai longtemps regardé le plafond. J'ai revécu dans ma tête la journée de la tempête. J'ai essayé de comprendre ce qui s'était passé, mais chaque fois je butais contre la porte du presbytère alors que je demandais à l'inconnu de s'en aller. Je me suis levé et me suis appuyé sur le bord de la fenêtre de la chambre. Elle donnait au sud et regardait l'ancien phare de la Butte, la Pointe-à-l'Échouerie, les vagues, la grandiose harmonie du ciel et de la mer. Quand j'en ai eu assez, je me suis assis sur le vieux lit à une place. J'ai remarqué que le tiroir du haut de la commode était entrouvert. J'avais besoin de m'occuper à quelque chose pour oublier mes paroles stupides, pour oublier l'inconnu que j'avais repoussé, pour oublier cette odeur obsédante qui régnait dans toutes les pièces. J'ai fouillé parmi les chemises, les sous-vêtements, les bas. J'ai approché de mon visage quelques morceaux et je me suis saoulé de leur parfum de lessive fraîche et de sexe.

J'ai reposé les vêtements dans le tiroir. Par terre, il y avait une boîte de carton sans couvercle qui ne contenait que des papiers. Des enveloppes, en fait. Une boîte pleine de lettres, toutes adressées à Francis Bennington. À plusieurs adresses très différentes. Je pouvais désormais attribuer un prénom à Monsieur Bennington. Francis… Il doit être de ceux qui ne sont que de passage, me suis-je dit, de ceux qui troublent votre existence et qui s'en vont, sans jamais regarder derrière eux.

J'avais envie d'ouvrir les lettres et de les lire. J'en ai pris une au hasard. Mes doigts indiscrets ont caressé le papier rude et sec de l'enveloppe. J'ai ouvert. L'encre pâlie par le temps bombait légèrement les feuilles jaunies. Le papier était lourd. Je me suis emballé. Je me sentais comme un violeur, et ça m'excitait.

Le temps s'est arrêté, encore une fois. Je suis demeuré accroché au néant, entre la certitude que je devais lire la lettre et celle que je ne devais pas. J'ai retourné le papier et j'ai lu. Après tout…

Je ne sais pas ce que toi tu cherchais en allant là-bas, ou encore ce que tu fuyais, mais je suis certaine que tu avais une raison. On ne part pas comme ça pour rien, il faut qu'on veuille découvrir ou encore oublier quelque chose pour tout foutre en l'air et se retrouver à l'autre bout du monde sans appareil photo. Malgré tout ce qu'on s'est dit, je ne sais pas encore pourquoi on s'est retrouvés ensemble. On va dire qu'on était faits pour se rencontrer, même si je n'y crois pas du tout, même si je sais que tu disparais toujours comme ça, un lendemain quelconque, sans laisser aucune trace. Je ne vais pas t'écrire que je t'aime parce que ce serait débile, mais aussi parce que je ne t'aime pas, en tout cas je ne crois pas… Mais je vais quand même te dire que je suis contente de t'avoir rencontré et que je suis contente d'avoir une adresse à laquelle envoyer cette lettre qui ne mène nulle part. Je vais te dire tout ça même si toi tu ne dis plus rien et que j'ai probablement l'air d'une conne qui lance tout ce qu'elle pense sur du papier à lettres cheap *acheté au dépanneur. Je n'ai peut-être pas de style, mais je n'avais pas le choix. Non seulement je n'ai pas ton numéro de téléphone, mais ce n'est pas le genre de choses que l'on dit; ces trucs-là, ça s'écrit. Et puis j'aime mieux t'écrire de vraies lettres à la main comme ça que de t'envoyer un courriel impersonnel et bâtard.*

Ariane

C'était tout. Pas de date. Pas d'adresse d'expédition. Ce devait être la suite d'une autre lettre. J'ai ressenti un violent désir de connaître cette histoire, cette femme ; il me fallait lire les autres lettres. Je me suis assis devant la boîte et j'ai commencé à ouvrir diverses enveloppes, au hasard.

II — Francis

Parfois j'ai envie de croire à toutes les théories du complot. Plus précisément à celles du genre : nous ne sommes finalement que des personnages, des pantins qu'un quelconque dieu ou qu'un narrateur fait bouger et parler. J'ai trop étudié la littérature, je pense. Je dis « je » et je m'arrête aussitôt pour tenter de comprendre ce que ça peut vouloir dire. Comme tant d'autres l'ont fait avant moi.

L'hiver est enfin arrivé. Les arbres du campus sont décorés depuis quelques jours par des milliers de petites lumières orangées placées en guirlandes sur leurs branches dépouillées. Je n'ai jamais beaucoup aimé les festivités qui entourent Noël et la nouvelle année, mais j'ai toujours été impressionné par les ornements et les lumières, par tous ces artifices qui donnent un air *glamour* à la ville enneigée.

J'ai passé l'après-midi à marcher. Les gens me dépassaient et me bousculaient, je n'avançais pas assez vite. Tout le monde se presse tout le temps pour aller attendre ailleurs. Les gens courent à toute vitesse vers la mort qu'ils tentent d'éviter. Ils se dépêchent, ils veulent échapper au froid et à la neige. Quand les gratte-ciels du centre-ville allument leurs néons et que la nuit tombe sur Montréal, la foule des marcheurs accélère le pas et chacun s'engouffre dans le métro, dans l'autobus, dans une voiture. Les gens courbent le dos et penchent la tête pour aller plus vite et éviter de glisser alors qu'ils devraient plutôt prêter attention au ciel couvert et à la lente chute des flocons.

Moi, j'aime l'hiver.

Il n'y a que l'hiver que je me sens vivant.

Pourtant, cette année, il me manque quelque chose. Et je n'arrive pas à saisir ce que c'est.

J'ai marché tout l'après-midi. Je suis monté jusqu'au belvédère, en haut du mont Royal, et j'ai longtemps regardé la ville. Puis je suis redescendu par les escaliers à l'ouest, près du lac aux Castors. Mes pas m'ont mené au pied du chemin de la Côte-des-Neiges, dans ce café où je vais presque tous les jours pour ne rien faire, pour lire, pour écrire, pour regarder par la fenêtre.

Il fait chaud, il y a toutes sortes de clients amusants à observer et l'ambiance est idéale pour lire ou pour espionner. Comme je ne connais rien au café, je bois un peu n'importe quoi. Aujourd'hui, j'ai opté pour un Costa Rica 100 % Arabica, un lait, un sucre. Mehdi, le serveur, m'a expliqué qu'il est torréfié lentement, à l'ancienne, et qu'il est idéal pour la détente. Je ne sais pas comment un café peut être idéal pour la détente, mais je lui ai fait confiance. Mehdi est amusant, avec son accent précieux et ses grands yeux noirs. Peu importe l'heure à laquelle j'entre au café, à tout coup il est là. Le matin quand je viens me chercher quelque chose à boire pour me réveiller, l'après-midi quand j'ai envie de lire, le soir lorsque je retourne chez moi après un séminaire à l'université. Nous pourrions être de très bons amis, je pense, si j'étais moins sauvage. Mais j'aime trop ma position de voyeur pour risquer de la compromettre en devenant son ami. Je vais dans ce café seul et je veux y rester seul.

Cet après-midi, je me suis installé face à la fenêtre et j'ai lu *La Chute* d'Albert Camus pour la quatrième fois. Ce que j'aime chez Camus, c'est sa fatalité. Et surtout l'attitude de ses personnages face à l'absurdité du destin et de la vie. J'aime aussi l'image qu'il donne de l'homme artiste et de l'écrivain. Camus est honnête, et c'est pour ça qu'il se lit très bien dans un café.

J'aurais pu opter pour Marguerite Duras, mais elle se lit mieux avec une cigarette. Et comme on ne peut plus fumer dans les endroits publics...

Flaubert et le XIXe siècle, je garde ça pour les salles d'attente.

Non, mon truc, vraiment, c'est l'existentialisme dans les cafés. Ça me donne peut-être un air d'intellectuel crâneur, mais je n'en ai rien à foutre. En plus, ces écrivains travaillaient dans des cafés, alors moi je les lis dans les cafés. C'est comme ça, c'est tout.

Pourtant, aujourd'hui, je n'étais pas capable de me concentrer. Je quittais la fiction toutes les minutes pour regarder la neige tomber. Les rues étaient presque vides. Un duvet blanc recouvrait les voitures stationnées, les trottoirs où personne n'avait encore marché et les enseignes lumineuses. Une dame âgée est passée près de la vitrine du café. Elle était emmitouflée dans un immense manteau de fourrure brune mouchetée de beige, un manteau qui, dans une autre vie, devait être en quelque sorte un hybride entre le tigre, le renard et la girafe. La dame était juchée sur des talons hauts démesurés, des échasses de cuir noir qui lui montaient jusqu'aux genoux. Elle traînait avec elle un grand sac rose en écailles. Elle ne regardait pas le trottoir comme les autres passants, elle marchait plutôt à une vitesse folle. Elle devait être en retard. Elle va tomber, me suis-je dit, elle va glisser sur une plaque de glace sournoise dissimulée sous la mince couche de neige, ses pieds iront de l'avant tandis que le reste de son corps sera propulsé vers l'arrière. Son sac en écailles s'élèvera dans les airs et retombera en même temps que son corps sur le trottoir sale et humide. Elle se brisera le dos et ne pourra plus se relever. Elle hurlera de douleur, mais personne ne s'arrêtera pour l'aider. Ce sera tant pis pour elle : à son âge, on ne porte pas de tels souliers et on marche moins vite.

Toutefois, ma prophétie ne s'est pas réalisée. La femme a tourné le coin et elle est sortie de mon champ de vision. Je me suis levé et j'ai quitté le café. J'ai souri à Mehdi avant de pousser la porte.

Il neigeait sur mon corps en mouvement, mais ça ne me faisait rien. Je suis rentré chez moi et je me suis effondré sur le divan.

Ma solitude est intellectuelle. Et maintenant j'ai envie d'autre chose. Je caresse Hubert. Il ronronne. L'hiver est enfin arrivé mais j'ai envie de partir. De me retrouver devant l'inconnu, quelque part où je n'aurais jamais mis les pieds avant, un lieu où je n'aurais aucun repère.

::

Hubert m'a réveillé ce matin en me piétinant le visage. Je l'ai poussé en bas du lit et il a miaulé pour sortir. J'ai ouvert la porte du balcon pour qu'il puisse aller jouer dans la neige. Je me suis habillé entre deux bouchées de pain. Je devais me rendre à l'université en après-midi pour la dernière séance du séminaire sur la poétique du récit de voyage auquel je suis inscrit. J'allais faire semblant d'écouter les exposés des étudiants. Je poserais peut-être une question ou deux pour avoir l'air intéressé, sinon, je projetais plutôt de penser à toutes ces destinations exotiques qui font l'objet de millions de livres déjà, et d'essayer de choisir laquelle me conviendrait davantage, laquelle saurait donner un minimum de sens à ma vie.

Il faisait si froid dehors que j'en ai perdu le souffle en sortant de chez moi. J'adore cette sensation d'être étranglé par les mains glaciales de l'hiver. Si je pouvais choisir ma mort, je voudrais qu'elle ressemble à ça.

Que l'hiver m'étouffe.

Parfois, dans mes rêves, je meurs. Et c'est un événement heureux. Je ne sais pas pourquoi, on dirait que lorsque je la rêve, la mort prend des allures de fête. Je sais que je vais mourir et je suis comblé. D'autres fois, par contre, la mort est moins agréable que son anticipation. C'est le cas pour le feu et la maladie. Mais la plupart du temps, je meurs étranglé ou je m'ouvre les veines, et c'est si agréable que je me réveille dans un état voisin de l'euphorie.

Lorsque ma grand-mère est morte, mon frère et moi nous sommes retrouvés devant rien, sans famille. Ce jour-là, Dieu aussi est mort. Je savais que ma grand-mère était gravement malade, qu'elle n'en avait plus pour longtemps et qu'elle souffrait, mais je n'arrivais pas à l'accepter. J'avais mis tant d'espoir en l'existence de Dieu afin qu'il me vienne en aide et qu'il ne me laisse pas seul avec mon frère que j'étais convaincu que je serais récompensé par la guérison de ma grand-mère. J'ai alors compris qu'il n'existait pas, ou qu'il était mort, lui aussi. J'ai décidé d'effacer toute trace de sa présence dans ma vie. J'ai vidé la maison de ma grand-mère, où nous habitions Kyle et moi depuis l'accident de voiture qui avait tué nos parents alors que je n'avais même pas un an. J'ai vidé la maison de tout ce qui pouvait avoir un sens religieux : bibles, crucifix, images saintes, médaillons, cierges. J'ai pris une grosse boîte de carton au sous-sol pour y mettre tout ce que j'avais ramassé. J'ai jeté la boîte dans le petit poêle de la cour arrière et je l'ai aspergée d'essence avant d'y mettre le feu. Elle a brûlé durant quelques heures et je l'ai regardée tout le temps, jusqu'à ce qu'il n'en reste que des braises fumantes. J'ai alors craché sur les cendres de Dieu et j'ai rejoint mon frère chez une lointaine grand-tante qui nous hébergeait.

Si je pense encore à ma grand-mère presque tous les jours, je ne pense jamais à mes parents. Je n'ai aucun souvenir d'eux et je suis convaincu que c'est en partie pour cela que je ne m'entends pas avec mon frère. Kyle voudrait que je partage son deuil de notre père et de notre mère alors que je n'ai rien à pleurer.

J'ai quitté Québec quelques semaines après le décès de ma grand-mère. Je me suis trouvé une chambre dans une résidence du centre-ville de Montréal et j'ai annoncé à Kyle que je partais. Il m'a dit que je ne vivais pas bien le deuil, que j'étais incapable d'en ressentir les émotions normales parce que je refusais de pleurer nos parents à travers la mort de notre grand-mère.

Chaque fois que je pense à Kyle, je m'emporte. J'ai marché si vite que je suis arrivé à l'université une heure avant le début du séminaire. J'en ai profité pour me promener un peu le long de la rue McTavish. Il faisait froid et le soleil brillait. Ça m'a un peu calmé.

Après le séminaire, j'ai erré dans la ville qui s'endormait. Le ciel était d'un rouge à fendre les yeux, il n'y avait pas un nuage à l'horizon. Il faisait très froid et la neige de la veille était encore poudreuse et légère. Je me suis traîné les pieds pour le plaisir de la voir se soulever et retomber en divisant la lumière en des milliers de couleurs.

Ça m'a fait penser que l'hiver n'est jamais assez long à Montréal. Et que je devrais m'exiler dans un pays nordique, un vrai, un pays où l'hiver existe longtemps.

J'ai marché dans les rues du campus de l'Université McGill. L'air froid me brûlait les poumons, juste assez pour que la douleur soit agréable et pas trop souffrante. J'écoutais la neige craquer sous mes pas, je voyais ma respiration se transformer en vapeur. J'étais heureux, sans raison. J'ai pensé : bientôt je pourrai m'installer au bord de la fenêtre de mon appartement et regarder les bancs de neige tout en bas, les trépignements de ceux qui grelottent en attendant l'autobus au coin de la rue, la lueur orangée de la ville qui se reflète sur la neige, tout ça, tout ce qui me rend habituellement heureux, sans raison, comme aujourd'hui.

Après le séminaire, j'ai marché de nouveau, jusque chez moi. J'ai caressé Hubert quelques minutes puis je me suis fait un sandwich, que j'ai mangé debout devant l'évier de la cuisine. Je me suis dit : je ne suis pas quelqu'un de bien original. Il faudrait que je trouve quelque chose à faire de ma vie. Je sais que je ne finirai pas ma maîtrise. J'ai perdu tout l'intérêt qui m'y avait mené. Je dois survivre au temps des fêtes et, après, prendre le large. Foutre le camp. M'en aller.

J'ai décidé de ne pas aller à Québec cette année, de ne pas passer Noël et le Nouvel An avec mon frère. Je lui ai téléphoné au début de la soirée. Il m'a encore demandé si je m'étais trouvé du travail, si je mangeais bien, si j'avais rencontré quelqu'un. Je lui ai dit que je l'aimais parce qu'il était mon frère, mais que j'avais besoin d'un peu de silence et de solitude. Il m'a crié quelque chose que je n'ai pas compris et j'ai raccroché.

Je vais rester ici avec Hubert. Je ne vais pas décorer. Je vais rester chez moi, ou j'irai me promener, faire le voyeur un peu. Me saouler des réjouissances des autres, dans un bar quelconque. Parler avec des inconnus. Écouter leurs lamentations. Il doit bien y avoir des gens comme moi qui, sur cette île, fêteront Noël en buvant du gin accoudés à un comptoir de bar.

::

Je suis allé dans l'ouest de la ville. J'ai toujours trouvé la tristesse des anglophones plus visuelle et davantage pathétique que celle des francophones. Et comme je suis pathétique, j'ai pensé que je me devais de célébrer avec les miens. Peut-être aussi que, d'une certaine façon, je cherche à connaître mon père à travers ceux qui parlent sa langue, même si je sais pertinemment qu'ils sont plus d'un milliard dans le monde. Bref…

Nous n'étions pas très nombreux, tout au plus une dizaine. Un ensemble de jazz jouait ce soir-là. Une femme à la contrebasse, un homme au piano et un autre au hautbois. Ils ont facilement ciblé leur public et leur musique donnait dans le tragique. C'était parfait.

J'ai bu du porto pour commencer, parce que ça a de la classe, le porto. La serveuse m'a offert une truffe au chocolat blanc. J'ai eu envie de pleurer.

J'étais seul au comptoir du bar. Les autres clients étaient installés à des tables. La plupart d'entre eux buvaient du vin, sauf quelques hommes qui s'en tenaient au scotch. Je n'ai jamais su boire du scotch. Je n'ai pas la prestance qu'il faut, mes mains sont trop petites, j'ai l'air ridicule et ça me fait grimacer, je ne trouve même pas ça bon. Si le groupe avait joué du blues, par contre, moi aussi j'aurais pris du scotch. Mais le porto va mieux avec le jazz. Je pense.

Un peu après minuit, un groupe de francophones assez éméchés a fait son entrée dans le bar. Ils revenaient de la messe de minuit, ai-je compris. Ils riaient, ils dansaient. Leur bonheur avait l'air réel, et c'est ça qui m'a achevé. Les musiciens ont senti que l'ambiance générale devenait plus festive et ils ont ajusté leur répertoire pour jouer des trucs de cabaret ponctués de certains classiques de Noël jazzés. Malgré tout, la chanson *Greensleeves* menée par un hautbois, ça a un petit quelque chose de pervers qui cloue rapidement au sol. Là, il était temps : je me suis mis au *rhum and coke* et je me suis retrouvé dans la ruelle, la tête appuyée contre un mur de briques, en train de vomir.

Sur le chemin du retour, je me suis arrêté au Carré Saint-Louis le temps de me faire souhaiter un

Joyeux Noël par un gars assez louche qui voulait me vendre de la cocaïne.

Noël, cette année, a été d'une beauté terrible.

::

Chaque matin je me réveille. Je regarde mon reflet dans le miroir. Rien ne change, j'ai toujours la même tête. Les mêmes cheveux bruns un peu trop longs qui tombent par-dessus mes oreilles. Les mêmes yeux verts, cernés, fatigués, « mélancoliques », comme me l'a dit Mehdi l'autre jour alors que nous sommes finalement sortis, que j'ai accepté de le rencontrer ailleurs qu'au café. Leur éclat est différent de celui des yeux verts que l'on rencontre d'habitude, m'a-t-il dit. Comme s'ils regardaient ailleurs.

La même bouche rose, les mêmes dents un peu croches. La même barbe, du genre rasée hier, qui pique un peu. Les mêmes oreilles décollées. Pourtant, quelque chose ne va pas. Quand je prends une grande respiration, il y a une étrange douleur qui se réveille dans mon ventre, sous le sternum. Comme si quelqu'un derrière moi tirait sur un crochet de fer enfoncé dans ma poitrine. Comme si j'avais trop nagé et que j'avais les poumons pleins de chlore.

Je me rappelle la première fois que tu es venu au café, m'a dit Mehdi. Tu as cassé deux fois ta tasse en la renversant par terre. Deux fois de suite !

Je dois partir. Loin d'ici, sans avertir personne. Sinon Mehdi, peut-être. Avant qu'il ne soit trop tard.

III — Ariane

Je ne parle toujours que de moi-même. Même si je prétends le contraire. Je suis le centre de mon univers. C'est normal, j'imagine. Je suis le centre d'un univers fabulé.

Je vis dans un théâtre de marionnettes.

J'ai rêvé à Francis hier. Sa barbe n'était pas rasée. Il portait un bandeau de tissu sur le front, juste au-dessus de ses épais sourcils. Bleu foncé avec des dessins un peu étranges, blancs.

Il venait de m'annoncer qu'il s'était trouvé un emploi. Professeur de français dans une communauté autochtone des Adirondack, qu'il m'a dit. Comme moi je parlais le mohican et toutes les autres langues algonquiennes du coin, je lui ai proposé d'être son interprète. Il a accepté.

Nous sommes allés ensemble dans un grand village au milieu d'une clairière en pleine forêt, un village très étrange, aux maisons rondes, toutes faites en bois. Il n'y avait personne, nulle part. Francis criait en français. Moi, dans toutes les langues que je connaissais. Je savais un tas de langues différentes, aux accents étrangers, aux sonorités parfois émouvantes, mais je ne comprenais rien à ce que je disais. C'était un peu comme si quelqu'un parlait à travers moi, comme s'il y avait quelqu'un d'autre dans ma tête qui commandait à mes lèvres et à ma bouche de prononcer tous ces sons-là qui ne me disaient rien. C'était morbide, ce que je criais. Je ne comprenais pas, mais je savais que je ne traduisais pas ce que Francis était en train de dire. Je récitais des trucs plutôt dégueulasses, des histoires qui parlaient de morts, de massacres, de cimetières abandonnés, d'esprits, de sujets du genre qui m'effraient d'habitude. Mais ça me faisait rire, ce que j'étais en train de dire. Je riais tellement fort que Francis s'est arrêté pour me regarder. Il a pris un air paniqué. Tes yeux, Ari ! Tu t'es fait mal ? Je ne m'étais pas fait mal. Mais comme il me le demandait, je me suis rendu compte que je voyais un peu moins bien, ma vue était embrouillée. Je me suis touché les yeux du bout des doigts. C'était tout chaud. J'ai regardé mes doigts. Ils étaient pleins de sang. Alors là, j'ai éclaté d'un rire terrible qui ne venait pas de ma gorge ni de mon ventre. Ça venait de plus creux. Puis mon corps s'est mis à tourner autour de cet endroit-là, comme les aiguilles d'une horloge qui tournent autour du même centre. J'avais la tête en bas, la tête en haut, les pieds en bas, les pieds en haut. Et je riais.

Soudain, comme ça, Francis et moi nous sommes retrouvés dans un très grand lit. Francis était nu, nous étions couchés dans des draps blancs épais, comme ceux qu'on voit dans les films. Viens ici, que je lui ai dit. Il s'est alors mis à quatre pattes par-dessus moi. Il a baissé la tête en collant son menton sur son torse. Ses cheveux me chatouillaient les seins. Je me suis tortillée un peu. Tu me chatouilles ! Arrête ! Il a relevé la tête et a approché son visage du mien. Il a fermé les yeux. Il allait m'embrasser.

Dans le rêve, j'ai fermé les yeux.

Et mon réveil a sonné.

Je ne sais pas où il est, Francis. Il n'a jamais répondu aux lettres que je lui ai envoyées. Je ne sais même pas s'il est encore vivant.

::

Je pense que je suis en train de me construire un rapport hystérique au monde réel.

Je me suis répété cette phrase plusieurs fois dans les derniers jours : je pense que je suis en train de me construire un rapport hystérique au monde réel.

Le monde réel, c'est vaste comme expression. Je ne sais pas de quelle réalité je parle, quand je dis « le monde réel ». Mais je pense que je suis en train de me construire un rapport hystérique au monde réel. Ce n'est pas encore une certitude, mais l'idée a fait son bout de chemin déjà.

J'ai la fâcheuse tendance à me croire amoureuse dès que mon cœur bat un peu plus vite que d'habitude. J'ai écrit une lettre à Francis, l'autre jour, pour lui dire que je ne pensais pas être amoureuse de lui, mais je ne suis déjà plus sûre. Je n'en ai jamais été certaine, pour tout dire. Depuis que je connais Francis, j'oscille. Je suis convaincue que je l'aime, que ça y est, puis la seconde suivante j'adhère avec ferveur à la théorie contraire. Et c'est d'autant plus compliqué que Francis est inatteignable ; je n'ai pas de ses nouvelles, je ne le vois plus. Je me suis fait une idée de Francis et c'est de cette idée que je m'imagine être amoureuse.

Il m'arrive de rencontrer d'autres gars. La plupart du temps, ça ne dure pas, ça ne devient jamais très sérieux. Mais d'autres fois, je m'attache et je recommence à me poser un tas de questions. Est-ce que je suis amoureuse, est-il trop tôt pour pouvoir le dire, et qu'est-ce que l'amour, de toute façon ? Est-ce que je vais un jour tomber amoureuse de quelqu'un comme ça arrive aux filles dans les livres et dans les films ? Mais les livres et les films, entre ce qu'ils disent et ce qui est vrai, il y a toujours une immense différence et c'est un peu risqué de prendre leur propos pour la réalité.

Je sais tout ça.

J'essaie de me situer, moi, là-dedans. J'essaie de me situer dans le clan de ceux qui espèrent quand même. Qui ont mal au ventre, qui rêvent, qui y pensent tout le temps, qui choisissent d'y croire, malgré tout.

::

Je perdais mon temps, comme d'habitude, un soir de la semaine dernière. Un soir comme les autres. Un soir où je n'avais rien à faire, un soir où je me morfondais dans mon emmerdement.

Il n'y avait rien de bien intéressant à la télévision. J'ai zappé un peu. Je suis tombée sur un téléroman médiocre. Ça racontait l'histoire d'une femme qui était morte et qui revenait à la vie. En fait, elle avait feint sa mort pour une raison qui n'était pas mentionnée, et tout le monde était sous le choc de la voir vivante après tout ce temps passé à croire le contraire. J'ai changé de poste. Une émission pour adolescents débiles. Les personnages étaient joués par des comédiens de plus de trente ans. Comment pouvaient-ils se trouver crédibles alors que l'action était sans cesse suspendue pour leur permettre de faire des commentaires insipides en regardant la caméra ? Je me suis posé quelques questions comme celle-là avant de changer de poste de nouveau. Ailleurs, c'était de la téléréalité. J'ai préféré éteindre.

Je n'avais pas envie de lire. Je me suis quand même levée et je suis allée fouiller dans la bibliothèque. J'ai feuilleté le dernier roman d'Amélie Nothomb, mais j'avais peur de le commencer, peur d'être déçue ou qu'elle me tape sur les nerfs avec ses troubles identitaires. J'ai pris un livre au hasard. *Les souffrances du jeune Werther* de Goethe. Ce soir-là, je n'avais pas envie de me suicider. J'ai remis le livre à sa place. J'en ai pris un autre. *Les fous de Bassan*, d'Anne Hébert. Non, décidément, je n'avais envie de rien.

J'ai décidé de me saouler. Je l'ai dit à voix haute : « Je vais me saouler. » Je me suis entendue et ça m'a fait rire. J'étais devenue ces jeunes cons de seize ans qui racontent à tue-tête leur dernière buverie dans l'autobus à huit heures le matin. « Man, vendredi je me suis tellement saoulé ! Moé pis Jack, on a fumé un bat pis après on est allés au bar pis on a calé cinq pichets de bière en une heure. J'ai vomi sur Karine en sortant. Hostie qu'on riait ! Après on est allés chez Julie pis on a fait du mush. En tout cas, j'étais crissement pété, pis j'me suis réveillé le lendemain à quatre heures de l'après-midi. En fin de semaine prochaine, on loue un spa pis on se saoule la gueule comme des porcs, si ça te tente de venir. J'ai acheté un quarante onces de vodka pis un autre de gin pis je bois ça sec dans le spa. Ça va être malade, man. »

Mon désir n'égalait pas celui de cet adolescent attardé, mais j'avais tout de même envie de boire. Je me suis servi un très grand verre de vin rouge et je me suis fait un bagel au fromage à la crème et au saumon fumé pour manger en même temps que je buvais mon vin.

Je me suis installée devant l'ordinateur pour vérifier mes courriels. Je n'en avais pas. Je suis quand même restée assise sur ma nouvelle chaise de cuir et j'ai mangé le bagel et bu le vin en regardant clignoter les lumières du modem. J'étais tellement concentrée que j'ai commencé à imaginer que les lumières s'allumaient et s'éteignaient en même temps que je mâchais. La coordination des lumières et de mes mâchoires était impressionnante. Quand j'ai eu fini ma bouchée, j'en ai pris une autre, mais ça ne fonctionnait plus. J'ai donc posé mon regard ailleurs.

J'ai erré sur Internet en cliquant un peu n'importe où. Quand je commence à faire ça, ça peut être long avant que je réussisse à m'arrêter. Sauf que, cette fois, je suis rapidement tombée sur quelque chose d'intéressant. Je me suis retrouvée sur le carnet d'un bédéiste que je ne connaissais pas. Un bédéiste amateur, je pense, parce que j'ai cherché son nom sur différentes bases de données et il était encore inconnu, du moins il n'avait rien publié. Il avait mis en ligne plusieurs planches tirées de divers projets, mais aussi des photos de lui et de ses voyages. Il y avait une section du site qui était consacrée à du texte et ça se présentait davantage comme un journal personnel que comme un carnet de création.

J'ai toujours aimé la bande dessinée, sauf que là, c'est le gars qui a attiré mon attention. Sur les photos, il était splendide. Pas parfait, non. Splendide. Il signait ses billets « JeanSeb », alors j'en ai déduit qu'il s'appelait

Jean-Sébastien. J'ai passé le reste de la soirée, de la nuit, devrais-je dire, à lire ses billets. J'ai fini la bouteille de vin, puis j'en ai ouvert une autre. J'ai regardé plusieurs fois ses photos et ses dessins. J'ai même réactualisé la page à quelques reprises dans l'espoir de voir quelque chose de nouveau apparaître. J'avais envie d'être surprise, de découvrir que nous étions connectés tous les deux en même temps. Je voulais qu'il y ait un signe qui me confirme que j'avais raison de m'intéresser à lui, par l'entremise de son site.

J'ai archivé l'adresse du site dans la liste de mes favoris et je me suis finalement couchée, vers cinq heures du matin.

Et je n'ai rêvé à rien.

: :

Je travaille avec une fille, Sophie, qui est fort sympathique. Je ne m'entends pas très bien avec mes collègues de travail, parce qu'ils sont pour la plupart obsédés par leurs chiffres de ventes et par la paie un jeudi sur deux. Mais Sophie a de la conversation, elle sait parler de choses intéressantes. Elle connaît un tas de trucs sur la musique, notamment. Nous ne partageons pas nécessairement les mêmes goûts, mais c'est toujours agréable de discuter avec elle. Nous nous ressemblons peut-être sur certains points, mais sur d'autres, nous sommes plutôt aux antipodes. La mode, par exemple. Moi, mes vêtements sont tous noirs. Pas que je me trouve grosse ou quoi que ce soit, mais j'aime entretenir le mystère en ce qui me concerne, même si je ne suis pas mystérieuse du tout. Sophie, quant à elle, tuerait pour séduire. Elle porte toujours plusieurs accessoires surprenants. Je pourrais passer des heures à l'écouter parler de vêtements, même si le sujet m'est assez inconnu. Le midi, nous nous installons à la cafétéria pour manger et elle commente la façon dont nos collègues sont habillés. « Celle-là, elle devrait savoir qu'on ne met plus de blanc après la fête du Travail. Ça ne va pas du tout avec la ligne de ses sourcils, ce décolleté. Quelle idée d'avoir un sac à main aussi impersonnel ? » Et ainsi de suite. Elle est d'un *glamour* tranchant, Sophie. Elle porte toujours de grosses lunettes fumées qui lui donnent un air tragique. Quand il ne fait pas soleil, elle opte plutôt pour un chapeau ou pour une broche démesurée. Sophie habite le réel comme elle s'habille : elle a toujours un tas d'aventures à raconter et ses histoires impliquent à coup sûr de la fine cuisine, des bouchées exotiques et des alcools poétiques. Je vis un peu par procuration à travers le récit de son existence. Sophie m'est indispensable. Mon équilibre psychique repose sur peu de choses, en réalité.

Hier, Sophie a débarqué chez moi comme on débarque sur une plage pour libérer un pays allié de l'occupation ennemie. Elle voulait que nous sortions et j'avais besoin de son aide, disait-elle. Elle était vêtue d'une robe mauve sans manches imprimée d'une photo de Blondie fluo et tordue, avec un legging capri Dolce & Gabbana noir et des souliers Manolo Blahnik dorés à talons hauts. C'est elle qui m'a mentionné tout ça, je n'aurais pas remarqué, sinon. Ses cheveux étaient remontés sur sa tête, crêpés, emmêlés. Elle avait de multiples bracelets, d'immenses bracelets, devrais-je dire, qui faisaient un vacarme fou lorsqu'elle bougeait. Malgré le côté un peu punk de son accoutrement, elle était si grande et si belle qu'elle aurait pu entrer à une soirée donnée par une reine ou quelqu'un du genre sans que personne ne lui fasse remarquer que sa tenue ne convenait pas à ce type d'événement.

J'écoutais Joni Mitchell et j'étais couchée sur le plancher. J'avais mis la chanson *A Case of You* en boucle, une de mes préférées. Quand Sophie est entrée, la chanson jouait pour la dixième fois. J'étais en sous-vêtements. Mon soutien-gorge, d'ailleurs, était en mauvais état. Ce n'était pas élégant du tout. Je venais de me couper les cheveux moi-même et j'avais raté une manœuvre. J'avais ainsi les cheveux plus longs du côté droit. C'est parfait, m'a dit Sophie. Tu sais que l'asymétrie, c'est tout à fait tendance. Je vais t'arranger ça parce que ce soir, on va prendre un verre à la Loge et après on va rencontrer les musiciens du groupe de Toronto dont je te parlais hier.

Je ne me souvenais d'aucun groupe de Toronto, mais je n'ai pas posé de questions. La dernière fois que j'étais sortie avec elle, nous avions passé la nuit à boire du champagne au Hilton avec le fils d'un ministre quelconque qui résidait dans une immense suite des étages supérieurs. J'avais confiance en elle, la soirée allait valoir l'effort que je devais mettre à me costumer. Tu ne te costumes pas, Ari, qu'elle m'a répondu. Imagine plutôt que tu deviens celle que tu es vraiment, à l'intérieur. Je te connais et je peux dire que ça te ressemble tout à fait, ce que je vais te faire mettre ce soir.

Elle avait magasiné toute la journée pour m'acheter des vêtements que je n'allais porter qu'une soirée. Elle est comme ça, Sophie. Immensément dévouée. Elle a ouvert le sac qu'elle avait apporté. Je devais enfiler un jean déchiré aux genoux, griffé d'une marque dont j'oublie le nom, et un chandail Dom Rebel noir. Le chandail était très moulant. Elle l'avait pris une taille trop petite, mais c'était voulu. Au lieu de me faire mettre une ceinture, Sophie a passé un collier aux multiples breloques argentées par les ganses du pantalon. Elle a roulé les jambes du pantalon sur mes tibias et m'a fait mettre des sandales brillantes décorées de petits diamants. Elle a coupé un peu mes cheveux, pour qu'ils soient encore plus asymétriques, et les a coiffés pour que j'aie l'air de sortir du lit, ce qui était presque le cas. Elle m'a maquillé les yeux, m'a mis du rouge à lèvres et a fait une pause. Tu es géniale, qu'elle m'a dit. Ces gens-là, les musiciens du *band*, ce sont des *rock stars*. Il faut qu'on ait l'air *trash*, un peu, si on veut qu'ils nous laissent les accompagner.

Je me suis regardée dans le miroir. Et j'ai éclaté de rire. Pas que j'étais ridicule, non. Mon costume était crédible, si crédible que j'ai eu peur. Et si j'étais vraiment, en réalité, une fille de ce genre ? Sophie m'a rassurée. Il faut connaître son public, qu'elle a dit. Moi, je sais que tu es une fille brillante. D'ailleurs, t'as pas l'air moins brillante, habillée comme ça. T'as juste l'air plus consciente de tes seins.

Nous avons pris quelques verres à la Loge. J'ai laissé Sophie commander, parce qu'elle connaissait le serveur, mais aussi parce qu'elle savait ce qu'il fallait que nous buvions. Moi, j'aurais choisi un kir, mais le kir, on boit ça l'hiver, m'a dit Sophie. Là, ça nous prend un Chardonnay.

Après trois verres, Sophie m'a saisi la main et m'a entraînée dehors. Il fallait y aller. Les musiciens allaient arriver d'une minute à l'autre. Nous nous sommes rendues quelque part, je ne sais plus trop où, chez l'ami d'un ami de Sophie, ou quelque chose comme ça. Les musiciens étaient là. Ils nous attendaient, parce que l'ami d'un ami les avait avertis que nous allions venir. Ils étaient quatre. Une fille, une superbe fille aux cheveux blonds, et trois gars. Il y en avait un qui portait un chapeau. Il s'appelait Jimmy, si j'ai bien compris. Ils sont *huge*, m'a soufflé Sophie à l'oreille. Nous sommes *huge*, Ari ! Elle était excitée, mais le contrôle qu'elle avait sur elle-même était surprenant.

Les musiciens voulaient aller sur la Grande Allée. L'idée ne me plaisait pas vraiment, mais après tout, j'étais habillée en conséquence. D'habitude, je fuis cette rue ; je n'y vais jamais. Mais là, c'était différent.

Nous sommes entrés dans une boîte branchée par la porte de derrière qui ouvrait sur un immense escalier tout en verre éclairé par-dessous avec des lumières ultraviolettes. C'était comme marcher dans le vide ou sur de la glace. J'ai eu peur de tomber.

Nous sommes montés au troisième étage. En haut, tout était blanc. Les murs, les comptoirs, le plancher. Il y avait foule sur la piste de danse. Les gens se frottaient les uns contre les autres. Ils avaient pour la plupart les yeux fermés et se laissaient bercer par les rythmes lancinants que les haut-parleurs hurlaient. C'étaient des rythmes très lents, les voix étaient rauques. J'ai eu l'impression de me retrouver dans un repère de nymphomanes sur l'ecstasy.

Sophie m'a tout de suite pris la main pour m'attirer avec elle et la chanteuse vers les toilettes. Les trois musiciens nous ont suivies et nous sommes tous entrés dans les toilettes des femmes. Le gars avec le chapeau, Jimmy, a verrouillé la porte. Sophie en a profité pour se remettre du mascara pendant qu'un des musiciens sortait quelque chose de la poche de son veston. Il a montré le sachet aux autres avant de déposer la poudre sur le comptoir et de faire des petits tas qu'il séparait avec une carte de crédit. Sophie m'a regardée dans le miroir. Elle souriait. Je n'avais pas envisagé une telle situation, mais j'aurais dû m'y attendre, c'était un scénario assez classique, il fallait l'avouer.

J'ai tout de suite dit à Sophie que je n'avais pas envie de prendre de la coke. Elle a ouvert sa main droite en souriant. J'ai regardé. Il y avait un tout petit comprimé, coupé en deux. Ça te tente ? qu'elle m'a demandé.

Je n'étais pas trop certaine. D'emblée, je me suis dit que c'était une mauvaise idée. Puis, après tout, qu'est-ce que j'avais à perdre ? Ma dignité ? Je l'avais laissée chez moi. J'ai pensé à Francis à ce moment-là, pour aucune raison. Ça m'a fait tout drôle et je me suis dit que la moitié de cette pilule pourrait peut-être m'aider à oublier le manque d'intérêt de ma vie du moment, Francis, justement, et Jean-Sébastien aussi, par le fait même. J'ai dit oui et j'ai fait descendre la moitié qui m'était réservée avec une gorgée d'eau.

J'ai dansé jusqu'à ce qu'on nous mette dehors, vers quatre heures du matin. J'ai dansé sans arrêt, sans même me préoccuper de la musique qui jouait, des mouvements que je faisais, des gens avec qui je dansais. Les heures ont passé sans que je m'en rende compte. Comme si j'avais rêvé. Je me suis réveillée dehors, dans la ruelle derrière le bar. Sophie dansait encore, même s'il n'y avait plus de musique. Elle tournait autour de la chanteuse et d'un musicien qui avaient l'air franchement ennuyés. Je me suis assise sur le trottoir et j'ai éclaté de rire. J'étais tout à fait heureuse. Le musicien au chapeau s'est assis à côté de moi. Les autres lui ont demandé quelque chose, je n'écoutais pas. Ils se sont levés et sont partis. La chanteuse avait appelé un taxi et il venait d'arriver. Sophie est partie avec eux. Je n'avais pas envie de me lever. Je suis restée sur le trottoir avec Jimmy. *I'm staying at the Pur Hotel downtown*, qu'il m'a dit. *Would you like to go have a drink in my room?* J'avais encore besoin d'air, alors il m'a proposé qu'on y aille à pied.

En descendant la côte d'Abraham, je me suis rendu compte de ce que j'étais en train de faire et j'ai paniqué. Je lui ai dit que je n'étais pas sûre de vouloir l'accompagner, à bien y penser, que je préférais aller me coucher, que je travaillais le lendemain, que mon chat m'attendait, des conneries incroyables considérant que je n'ai pas de chat et que j'étais en congé le lendemain. Il m'a prise par la main, il m'a dit de me calmer, que nous n'étions pas obligés de faire quoi que ce soit, que nous pouvions juste boire quelques verres et dormir ensemble. Je n'ai pas envie de dormir, que je lui ai dit. J'aimerais mieux aller marcher. Allons marcher sur la Terrasse. Il a dit oui, même s'il ne devait pas savoir ce que c'était, la *Terrasse.*

Nous sommes allés au pied du Château. La nuit était superbe. De gros paquebots anonymes passaient devant la ville, en bas sur le fleuve noir. Nous avons marché jusqu'à la Promenade des Gouverneurs. Après avoir grimpé quelques marches, j'ai décidé d'arrêter parce que j'avais la gorge trop sèche. Nous nous sommes assis sur un palier. Le vent faisait danser les feuilles des arbres qui s'accrochaient au roc de la falaise. Je commençais à me calmer, mais mon cœur battait encore à toute vitesse. Nous avons passé le reste de la nuit à parler, assis sur le bois de la Promenade. En fait, c'est plutôt moi qui parlais. J'étais en feu, j'enfilais les mots les uns après les autres. Mon anglais était fluide ce soir-là. Sûrement à cause de la drogue. Je lui ai parlé de Francis, mais surtout de son absence qui me donnait mal au ventre. Je lui ai parlé de Jean-Sébastien qui m'obsède, du mystère qui l'entoure. Je lui ai parlé de Olden, que j'ai quitté trop vite sans avoir pris la peine de le connaître vraiment. Je lui ai parlé de moi, aussi. Quand j'ai eu fini, une fois que je me suis sentie déchargée d'un poids important et que le soleil commençait à se montrer, je me suis levée, je lui ai fait la bise et je suis partie. J'ai marché un peu, j'ai pris le premier autobus que j'ai croisé et je suis retournée chez moi. J'étais passée, dans la même soirée, du personnage très cliché de *chick lit* à la tout aussi clichée bourgeoise-bohème pédante qui fait la bise mais qui ne couche pas.

J'ai tourné en rond dans mon appartement. J'ai fait la vaisselle, ramassé les trucs que Sophie avait laissés chez moi, fait le ménage de ma chambre. J'ai trouvé, dans une boîte sous le lit, un disque que Francis m'avait acheté en Espagne. Il avait trouvé absurde de tomber sur un album de Janis Joplin à des milliers de kilomètres de l'Amérique. Je n'avais pas osé lui dire que la renommée de Janis Joplin dépassait les limites physiques de San Francisco, parce que je ne voulais pas noyer son enthousiasme avec des considérations pragmatiques. C'était un disque *live*, enregistré dans un parc de Haight-Ashbury à l'occasion d'un festival hippie quelconque. J'ai décidé de l'écouter. Évidemment, ça m'a fait de la peine et j'ai pleuré de la première chanson jusqu'à la dernière. Puis je me suis couchée sur le divan parce que j'étais morte de fatigue. Je me suis dit que ce serait bien si je mourrais dans mon sommeil.

Mais je me suis réveillée le lendemain, un peu avant cinq heures de l'après-midi. J'étais devenue une coucoune écervelée de dix-neuf ans, à mon tour. C'était trop de métamorphoses pour moi en si peu de temps... Sur le répondeur, il y avait un message de Sophie. Le musicien au chapeau lui avait demandé mon numéro de téléphone. Elle le lui avait donné, évidemment.

::

J'aime le bruit de mes pas sur les trottoirs de mon quartier. Surtout après la pluie. La nuit, quand tout est calme et qu'il n'y a personne dehors, je sors sans manteau et je frissonne toute seule en marchant. Souvent, mes pas me mènent jusqu'à l'épicerie. Je me promène dans les allées désertes, je m'attarde plusieurs minutes au même endroit pour lire les ingrédients et les instructions sur les pots de sauce et les boîtes de mets exotiques. J'achète quelque chose. Un carton de lait. Une courge. Des biscuits. Et je demande un sac en papier. Je le serre entre mes bras, contre ma poitrine, et je fais exprès pour le froisser un peu en descendant la côte, pour le plaisir d'entendre le bruit du papier mêlé à celui de mes pas. Les trottoirs de mon quartier sont particulièrement musicaux.

Quand je rentre chez moi, après ces escapades, il faut que je m'installe devant la télévision. Pour manger des bonbons en écoutant n'importe quel reportage débile. Sur l'accouplement des hippocampes. Ou sur les Russes de Kaliningrad. L'autre jour, j'ai vu un topo sur un homme quelconque qui rencontrait le premier ministre du Nouveau-Brunswick parce qu'il voulait construire une voiture de course. Je m'en foutais éperdument de son histoire, mais j'ai écouté le reportage quand même. Je suis comme ça, après la pluie. Idiote, mais heureuse.

::

Les gens ne passent pas assez de temps dans leur salle de bain.

Il m'arrive souvent de m'asseoir sur le rebord de la baignoire, ou encore sur la cuvette alors que le couvercle est fermé. Je reste là, les yeux dans le vide, ou je regarde par la fenêtre. Je n'ai plus conscience d'exister physiquement, je vois mon corps comme si je n'y habitais pas. Je me découvre sous un jour nouveau, sous une perspective cinématographique, comme si j'étais en train de regarder un film sur ma vie. J'entends Regina Spektor qui chante, c'est elle qui a composé la musique pour la trame sonore. Sa voix particulière me rappelle mon enfance, pour une raison que je m'explique mal, mais elle a un petit côté *trash* qui la place définitivement dans le contemporain de mon existence actuelle. Ce sont ses premières chansons qui me viennent en tête d'abord et avant tout. Ses chansons plus minimalistes, mais carnavalesques en même temps. Je l'entends frapper sur les touches de son piano et faire des vocalises. Il y a un petit quelque chose de russe dans sa musique, quelque chose de troublant et d'angoissant.

Ce n'est pas un film biographique comme les autres. D'abord, il est trop esthétique et il ne s'y passe rien. L'intérêt réside dans le traitement des images. Les couleurs sont froides, il y a un filtre sur l'objectif de la caméra, on voit la réalité comme si tout était bleu. Avec des milliers de nuances. Bleu foncé, bleu pâle, bleu ciel, indigo, turquoise, saphir, pervenche, cyan, gris-bleu.

Je ne porte pas mes vêtements de tous les jours. J'ai des bas d'entraînement et une jupe, puis une camisole et un long foulard. Tous les morceaux sont en laine, en laine de toutes les couleurs. Et ce sont les seules couleurs que l'on distingue, mis à part les différents tons de bleu. Les couleurs sont grossières, elles ont été ajoutées au crayon sur la pellicule, comme avant. Écarlate, bourgogne, olive, cuivre, or, cassis. Je regarde par la fenêtre. J'entends quelqu'un parler dans la rue. Je ne trouve pas mes clés, qu'il dit. C'est un vieil homme. Un vieil homme invisible dans la nuit bleue.

J'ouvre la fenêtre. C'est l'automne. Je sais que les gens qui regardent le film ne peuvent pas sentir la fraîcheur et l'humidité de l'air, mais ils peuvent quand même se l'imaginer parce qu'ils entendent le vent qui s'engouffre dans la pièce, ils voient les feuilles qui tourbillonnent entre deux courants d'air, au milieu de la rue. Puis, ils me voient mettre un pied dehors. Mettre l'autre. Sortir tout mon corps par la fenêtre sans même regarder en bas. À ce moment, la musique change, elle devient un peu plus rythmée, plus élaborée, on dirait une sorte de polka nouveau genre. C'est toujours Regina Spektor qui chante, mais les choses deviennent un peu plus tragiques.

Mon pied gauche touche l'air. Des ronds concentriques apparaissent sous la semelle de mon soulier, comme si je mettais le pied dans une flaque d'eau. Les ronds ne s'arrêtent pas, ils continuent de grossir, ils s'éloignent et prennent de l'ampleur. Tout autour devient flou. Les vieilles maisons de brique et de pierre se tortillent, leurs fenêtres s'enfoncent, leurs portes s'agrandissent, leurs toits explosent, tout apparaît désormais au spectateur comme à travers un miroir déformant. La vieille ville tourbillonne et je marche dans les airs. Je suis légère, douce et élégante. De tragique, la musique devient porteuse d'espoir en quelque sorte, plus festive. Dramatique, toujours, mais éthérée.

Je souris. C'est un film qui ne mène nulle part, mais qui me rend heureuse. Toutes sortes de choses émergent des maisons difformes et se joignent à moi dans un ballet euphorique. Des vêtements, des rideaux, des enfants, des hommes, des femmes, des animaux, des peluches, du papier, des livres, des fauteuils, je crois même apercevoir un piano à queue et une vieille Volkswagen. Puis, tout doucement, le film est rembobiné, les images reviennent à reculons, mon corps réintègre l'appartement par la fenêtre et je suis de nouveau assise sur le rebord de la baignoire, ou encore sur la cuvette alors que le couvercle est fermé. Je me lève et je vais boire une tasse de thé.

C'est un court-métrage japonais, de toute évidence.

::

Il n'y a pas de plus beau son au monde que celui des pas de quelqu'un qui monte des escaliers à trois heures du matin, alors que son immeuble dort.

Ce bruit, il est doux, même s'il vient briser le silence. Les marches craquent un peu, il y en a une qui grince alors que le personnage s'approche d'une porte. Les sons aigus et les plus graves s'entrechoquent comme de vieux amis qui n'ont pas besoin de grands élans démonstratifs pour signifier qu'ils se sont ennuyés l'un de l'autre.

Quand je monte les escaliers tard la nuit, lorsque je suis un peu saoule, un peu perdue, un peu triste, il n'y a rien qui me rende plus heureuse que ce bruit.

IV — Émile

— Émile ?

On m'appelait. La voix était faible, elle venait d'assez loin. Je ne savais pas très bien où je me situais dans l'espace. J'ai écarté les nuages qui m'entouraient. Je ne voyais rien, sauf le duvet dense et moelleux, blanc comme un cadavre. J'ai essayé d'avancer. Mes pieds balayaient le vide. Je flottais. Les nuages se sont dispersés un moment, puis m'ont envahi à nouveau. Mon corps ondulait comme un souffle chaud, lentement, dans un bruissement presque imperceptible.

— Émile ?

La voix est devenue plus insistante. Elle se trouvait maintenant tout près, devant moi, à portée de main. J'ai tendu le bras. Quelque chose m'a pris le poignet.

— Émile, réveille-toi.

Du coup, les nuages se sont évaporés. Je suis tombé. Mon corps lourd s'est écrasé contre le matelas.

Je me suis relevé sur les coudes. J'ai plissé les yeux pour mieux voir devant moi. Parce que la lumière m'aveuglait.

Monsieur Bennington.

Ou devais-je dire Francis ?

— Tu t'es endormi.

Ce n'était pas une question, mais plutôt une constatation. Oui, je m'étais endormi. Dans son lit, avec la lettre. Il avait remarqué, c'était évident. J'ai toussoté.

— Je n'ai pas voulu fouiller, mais…

— Ça va.

Il s'est assis au pied du lit. Sa main s'est promenée un instant sur la couverture à carreaux, puis il a pris l'enveloppe. Il a soupiré. Sa tête s'est tournée dans ma direction. Il m'a regardé.

— Je me suis toujours débarrassé de mes souvenirs par le feu. Mais pas de ces lettres.

Il s'est levé et il a laissé tomber la lettre sur le matelas. Il s'est dirigé vers la fenêtre. Dehors, le soleil disparaissait sous la barre lointaine de l'horizon. Le ciel était rouge.

— J'ai traîné ces boîtes-là ici sans savoir pourquoi je ne les avais pas brûlées. Peut-être que je ne voulais pas regretter de les avoir détruites le jour où j'aurais envie de les relire.

Je ne savais pas quoi répondre, je ne savais même pas s'il fallait que je dise quelque chose.

Il s'est retourné et m'a regardé.

— Maintenant, je pense que je sais pourquoi.

Je n'y comprenais rien. À sa place, si quelqu'un avait fouillé dans mes affaires, j'aurais fait une crise, j'aurais lancé des trucs, j'aurais crié ou brisé des meubles. Mais pas lui.

Il est sorti de la chambre et il m'a crié quelque chose de la cuisine.

— De la lasagne, pour souper, ça te va ?

Je n'avais pas faim, mais la lasagne était une bonne idée.

V — Ariane

Je n'ai pas l'impression d'exister en ce moment. Tout ce qui me rattache à moi-même, ce sont mes souvenirs. Il y a bien les rêves aussi, mais je sais qu'ils ne sont pas réels. Les souvenirs, eux, je les ai déjà vécus. Ils existent. Et moi, j'existe à travers eux.

Je me souviens de la chambre d'hôtel à Paris. Une chambre anonyme dans une ville que je n'aurai même pas vue. L'avion a atterri à l'aéroport, nous avons récupéré nos bagages, passé les douanes et sauté dans un taxi. Mehdi savait où aller. J'ai déjà habité Paris, qu'il a dit. Avant de venir m'installer à Montréal, j'ai passé deux ans ici. Il connaît Paris, soit, alors on le laisse nous guider. Je ne savais pas trop à quoi m'attendre, je ne les connaissais que depuis quelques heures. Depuis l'épisode des écouteurs dans l'avion. Pardon, est-ce que je pourrais vous emprunter vos écouteurs ? Vous n'avez pas l'air de les utiliser et les miens, je ne sais pas pourquoi, ils ne fonctionnent pas. Ah oui, pas de problème, que j'ai répondu. Une fois son film terminé, nous avons parlé un peu, puis je lui ai dit que je ne savais pas trop où j'allais, que j'avais pris un billet pour Paris comme ça, au hasard de la vie, pour me donner l'impression d'aller quelque part. Pas vrai ?

a rétorqué Mehdi. Nous aussi ! Quelle coïncidence ! C'est là que j'ai appris leurs prénoms. Moi, c'est Francis. Enchantée, Francis, moi, c'est Ariane. Mehdi. Enchantée, Mehdi. Nous nous sommes serré la main, nous avons discuté quelques heures et nous sommes descendus de l'avion ensemble. Qu'est-ce que tu dirais de venir avec nous ? m'a demandé Francis. Où ça ? Je sais pas, euh… en Espagne, tiens ! En Espagne ? Mehdi ne connaissait pas les plans de Francis. Ouais, pourquoi pas l'Espagne ? Ça vous tente, tous les deux ? Mehdi et moi, nous nous sommes regardés, et nous avons dit oui en même temps. En attendant qu'on trouve un train ou un avion, je nous emmène à l'hôtel, a dit Mehdi. Nous avons pris un taxi qui nous a menés directement à l'hôtel. Nous sommes entrés dans la chambre, nous en sommes sortis le lendemain pour prendre un autre taxi, puis un train, et nous étions à Madrid. Alors Paris, pour moi, ça ne veut pas dire grand-chose.

Je ne sais pas si c'est là que ça a commencé, mais après, dans mes souvenirs, il n'y a plus que Francis.

Je ne sais même plus où nous avons perdu Mehdi. Quelque part en Andalousie, je pense. Je me souviens d'une bagarre entre lui et Francis. Il n'y a qu'Ariane qui compte pour toi maintenant. C'est avec moi que tu as décidé de partir de Montréal, pas avec elle. Pourquoi est-ce qu'elle prend toute la place ? Parce que c'est une fille et pas moi ? C'est ça ? Pourquoi tu l'as pas dit que tu voulais rien savoir des mecs avant qu'on se casse tous les deux ? Fais chier, connard. Je t'aime, moi.

Ou quelque chose du genre… Francis, il a pas crié, il a pas gueulé. Je suis parti de Montréal pour arrêter de penser, qu'il a dit, alors ne me donne pas mal à la tête avec tes conneries de je t'aime. Qu'est-ce que ça veut dire pour toi, de toute façon ?

Ce soir-là, Mehdi est rentré très tard à l'hôtel. Le lendemain matin, quand je me suis réveillée, Francis était dans la douche. Mehdi n'était plus là, ses affaires non plus. Je n'ai pas posé de questions.

Ça devait être en Andalousie. Il faisait chaud, ce matin-là. Du moins, il me semble.

Même mes souvenirs me font défaut.

: :

Il n'y a que des hommes absents dans ma vie. Des hommes morts, des hommes qui ont foutu le camp, d'autres que j'ai jetés à la porte, d'autres encore qui ne se sont tout simplement jamais arrêtés parce qu'ils ne faisaient que passer. Il y a même des hommes qui n'existent pas. Des hommes que j'imagine en rêve, des hommes fantômes, des hommes invisibles.

Ce sont tous des hommes avec qui j'aimerais parler, autour de qui je voudrais m'enrouler un instant.

Après la mort de mon père, je me suis transformée en pas-grand-chose. Je ne me tenais plus debout, je ne cessais de m'enfuir, de me sauver. Un père, ça meurt quand on est très jeune ou encore très vieux. Pas quand on a à peine vingt ans et qu'on n'a encore rien accompli dans la vie. Je ne pouvais pas me résoudre à poursuivre, j'avais besoin d'une expérience intense. J'avais peur d'oublier la voix de mon père, de ne plus jamais rêver à lui.

Je savais que j'allais attrister ma mère en me sauvant comme ça, sans lui dire où j'allais, mais je ne pouvais pas faire autrement.

Maman.

Je suis partie. Pas très loin, t'inquiète pas, je vais bien. J'ai tout simplement besoin d'un peu de temps à moi, ailleurs. Pour me remettre les idées en place. Dernièrement, je ne sais plus quoi faire de ma vie qui ne va nulle part. Chaque matin je me réveille. Et ça ne me suffit plus.

J'ai été trop longtemps en deuil et maintenant, depuis un petit bout de temps, je sens que je suis prête à refaire surface. Je ne suis pas malheureuse, j'apprends à aimer la vie et tout ce qu'elle est devenue, tout ce qu'elle a fait de moi et du monde qui m'entoure, de toi, des arbres, des rues et du reste. Là, j'ai besoin du petit mal de ventre que je ressens quand je me retrouve devant le grand vide de la route.

Y a rien d'alarmant là-dedans, ma belle maman. Disons que ça fait partie de mon cheminement. Même si je n'aime pas beaucoup le mot : il est trop ésotérique à mon goût et je ne suis pas rendue dans ces trucs-là encore.

Tu as la clé de mon appartement, tu peux y aller n'importe quand. Il n'y a pas de plantes à arroser, je ne reçois presque jamais de courrier. Je ne sais pas encore quand je reviendrai. Je t'appelle dès mon retour.

Je t'aime,
Ariane

J'ai fourré quelques trucs dans un sac à dos, du dentifrice, une bouteille d'eau, des bas, une carte routière de l'Amérique du Nord. J'ai mis une robe noire pas trop longue, mais pas trop courte non plus. Je me suis noué une veste de laine autour de la taille et je suis partie. J'ai pris le traversier, puis j'ai monté la grande côte de l'autre côté du fleuve. Là, j'ai suivi mon instinct. J'ai marché quelques kilomètres et je me suis rendue sur l'autoroute. J'ai levé le pouce, sans trop savoir où ça allait me mener.

Les gens me demandaient où je voulais me rendre, mais je n'en avais pas la moindre idée. J'ai menti. Je ne voulais pas me mettre à parler de mon père à tout le monde. Je leur ai dit que j'avais décidé d'aller travailler dans le Maine pour apprendre l'anglais durant l'été avant de retourner aux études pour changer de carrière. Alors, évidemment, je me suis retrouvée dans le Maine. D'abord pas loin de la frontière. Un homme qui travaillait à Lac-Mégantic, mais qui habitait à Coburn Gore, m'a déposée à la réception d'un petit motel miteux de bord de route. J'ai loué une chambre, j'y suis restée deux jours. C'était brun, humide et poisseux. Le troisième matin, je n'en pouvais plus. J'ai pris une longue douche. J'ai pensé que si je me lavais très bien, ça compenserait les douches que je ne pourrais pas prendre les jours suivants. J'ai mangé un sandwich gluant à la cantine du motel, puis je suis partie. Vers la mer. Tant qu'à me retrouver dans le Maine, aussi bien profiter de son principal attrait. J'ai regardé la carte : il fallait que j'aille vers le sud, vers les villes qui longent l'autoroute 95. De là, je pourrais sûrement trouver quelqu'un pour m'emmener sur les plages. Une famille en vacances. Un Ukrainien qui se chercherait du travail. Des vieilles Polonaises. On ne sait jamais.

::

Coburn Gore, sur ma carte, ça ne représentait pas grand-chose. Un petit point de rien, près de la frontière, avec une seule route pour y entrer et pour en sortir. Je ne connaissais rien du Maine, je me demandais pourquoi j'avais choisi cette destination plutôt qu'une autre.

Je ne me souviens pas de toutes les étapes de mon errance. J'ai croisé quelques voitures, je suis montée dans quelques autres, j'ai marché pas mal, j'ai même dormi dehors, une fois, dans une vieille cabane grise faite de planches de bois délavées par des dizaines d'années de pluie et de neige, le genre de cabane-grange qui tient debout on ne sait trop comment. Elle penche dans le sens du vent, on voit à travers les planches, des morceaux du toit et des murs sont arrachés, un arbre pousse au milieu, souvent il y a un tas de roches pas très loin, le genre de tas de roches qu'on se demande aussi pourquoi il est là. Et le plus étrange avec ces granges, c'est qu'elles ne semblent appartenir à personne. Pas de ferme, pas de maison autour, pas de chien pour nous gueuler dessus quand on met le pied sur le terrain, pas même de clôture ou d'avertissement pour indiquer qu'il s'agit d'une propriété privée. Elles sont là, seules au milieu d'une petite clairière, au détour d'une route, au creux d'une vallée ou au sommet d'une colline.

Je ne savais même pas où j'étais. J'avais quitté les montagnes. Un vieil homme quelconque dans une voiture quelconque m'avait dit: « *We're entering Kennebec County right now.* » Donc, ça devait être quelque part dans Kennebec County.

Le vieil homme habitait à Rome, près d'un lac. Rome. Tout d'abord, ça m'a fait penser à Rome, en Italie, et je me suis dit que c'était une idée stupide que les gens avaient eue d'appeler une ville de ce nom-là alors qu'ils savaient très bien que, peu importe ce qu'ils en feraient, cette ville n'aurait jamais la splendeur de celle qui existe depuis des milliers d'années et que tout le monde connaît. Puis, je me suis souvenue d'une émission débile qui jouait à Radio-Canada l'après-midi. Ça m'a pris une éternité pour faire comprendre au vieil homme de quoi je parlais, parce que, apparemment, le titre original de l'émission n'est pas *Bienvenue à Rome, USA* comme en français. Ses yeux se sont allumés lorsque je lui ai parlé de la vache qui a accouché d'un enfant humain. *Picket Fences, that's what you're talking about.* Puis il s'est mis à discourir là-dessus. C'était tourné en Californie et ça ne jouait plus depuis 1996. La ville de Rome dans laquelle l'action avait lieu existe vraiment, mais ce n'est pas la même, c'en est une qui se trouve au Wisconsin. En fait, m'a-t-il expliqué, il y a une ville de Rome dans dix États américains: la Georgie, l'Illinois, l'Indiana, l'Iowa, le Maine, le Mississippi, l'état de New York, l'Ohio, la Pennsylvanie et le Wisconsin. Je me souviens encore parfaitement de cette information inutile.

Après l'épisode de Rome, j'ai regardé la carte plus attentivement. J'ai réalisé que, dans le Maine seulement, il y a des villes qui s'appellent Norway, Denmark,

Naples, Mexico, Peru, West Paris, South Paris, Lisbon, Troy, Belgrade, Palermo, South Lebanon, East Lebanon, il y a même une île qui s'appelle Long Island. J'ai été troublée, encore une fois.

J'ai donc décidé de modifier ma trajectoire. Je n'avais plus envie d'aller vers la côte et de ne voir que des touristes. J'étais à Oakland, une petite ville près de l'autoroute 95. Le vieil homme était venu m'y reconduire, un peu fâché après que je lui eus dit que, pour une ville qui s'appelait Rome, je trouvais que son village faisait assez pitié. Il m'a déposée devant un dépanneur du centre-ville. J'ai erré dans les rues quelques minutes, puis j'ai eu envie d'aller à Boston. Je suis entrée dans le dépanneur pour demander où était le terminus d'autobus. C'était une jeune fille qui travaillait, elle n'avait pas plus de dix-sept ans et portait des joggings gris, un coton ouaté rose et avait remonté ses cheveux en queue-de-cheval. Elle n'avait pas l'air très allumée, elle ne comprenait pas mon but. *Where's the closest bus stop, please? The what? The bus stop, the bus station. The what? BUS STATION! Sorry, I really don't get whatcha talking about.* Putain. Je suis sortie et j'ai arrêté le premier passant que j'ai croisé. Il a tout de suite compris de quoi je parlais. *There is no bus station over here. You have to go to Waterville, a few miles away. Take the 137 East, then cross the Highway 95. You'll reach the 104, turn left and there you go, you're in Waterville.*

Je n'étais pas très avancée. Je savais comment m'y rendre, mais puisqu'il n'y avait pas d'autobus dans cette ville… J'en avais assez de faire du pouce et qu'on me dise que je n'étais pas très prudente de me promener toute seule, en robe qui plus est.

J'ai décidé de passer la nuit à Oakland pour me reposer un peu, puis de faire la route à pied le lendemain. J'ai regardé autour de moi et je n'ai vu aucun hôtel, aucun motel, pas de pension, rien. Je ne voulais pas retourner au dépanneur pour questionner la fille, et il n'y avait personne dans la rue. J'ai marché un peu, puis j'ai vu une quincaillerie qui était encore ouverte. Il y avait une vente de brouettes à l'extérieur. Blake Family Hardware. J'ai poussé la porte et je suis entrée. *Do you know if there is a motel nearby where I could stay for the night? I don't have a car and it seems like there is no bus service in this town*, que j'ai dit au commis. *The Pressey House*, a répondu une voix derrière moi. Je me suis retournée. *You could stay at The Pressey House, just out of town. I'm the owner, we have room left for the night and I can drive you there. Thanks, that's very sweet of you ! You're welcome. And by the way, I'm Olden.*

: :

Quand il m'arrive de penser à Olden, je me demande sérieusement pourquoi il a choisi de s'occuper du gîte que son père lui a légué. The Pressey House : c'est beau, c'est même très beau, mais ça n'a rien à voir avec lui. C'est précieux, très « Nouvelle-Angleterre », très « charme-rustique-des-petites-municipalités-rurales-du-Maine ».

Olden, il n'est pas du tout comme Francis. Je ne crois pas qu'ils pourraient s'entendre, tous les deux.

De toute façon, ils ne se rencontreront jamais. À moins que nous soyons tous les personnages d'un film, de ce genre de long-métrage où il y a plusieurs histoires et où on se rend compte à la fin qu'elles sont toutes liées entre elles, qu'un est le docteur de l'autre, qui est la mère de l'amie de la sœur, ou encore le copain de la cousine aveugle.

Olden, non seulement il était plus vieux, mais il était plus beau que tous les gars avec qui j'ai été dans ma vie. Olden, il n'était pas comme les autres.

::

Cette nuit, vers trois heures trente, je me suis réveillée tout en douceur, mais avec l'étrange impression que quelqu'un, quelque part, m'observait. Et son regard me glaçait le sang. Sans trop savoir pourquoi, j'étais même effrayée. Je n'étais pas paniquée, mais j'avais peur.

::

J'écoute Janis Joplin en boucle depuis toujours. Je ne sais même plus quel jour on est. J'ai pris deux semaines de congé sans solde. Je n'avais plus envie de remplir des dossiers qui ne me disaient rien, de classer des papiers qu'on ne ressortirait jamais et d'essayer de me rappeler où j'avais rangé d'autres papiers que je croyais avoir classés pour de bon.

J'ai fermé les rideaux, j'ai débranché le téléphone, j'ai mis quelques bouteilles d'eau dans le frigo et je me suis couchée sur le divan avec la télécommande et un sac de croustilles. J'ai activé la fonction de sourdine parce que je n'étais pas intéressée par ce qui passait à la télé. Je voulais seulement regarder les images et écouter Janis hurler en me demandant si elle allait un jour se fatiguer de chanter les mêmes chansons sans arrêt. Mais Janis ne se fatigue jamais.

Et moi, ça ne me fait rien.

J'ai relu *Volkswagen Blues* de Jacques Poulin pour la millième fois. Quand j'ai eu terminé, j'ai fermé les yeux. Et j'ai rêvé que j'étais amérindienne, que je n'avais pas de colonne vertébrale et que je pouvais me plier dans tous les sens. J'ai rêvé que, moi aussi, je me promenais dans un Westfalia à travers les États-Unis. Chaque fois que quelque chose ne fonctionnait pas, que nous étions perdus ou que le véhicule brisait, je me contorsionnais, je me pliais en dessous de la voiture et je trouvais toujours la source du problème. Je connaissais la mécanique, l'orientation sans carte routière, tout. Ah, Jack, c'est un problème avec la *crankshaft*. Je vais arranger ça, ça va me prendre trente secondes. Après, on va devoir tourner à gauche et on va arriver bientôt. Selon la position du soleil, je dirais qu'il est midi moins deux. Des trucs comme ça.

::

Je me souviens d'une fois où ma mère m'a dit : « Tu aurais dû avoir une sœur. Ça t'aurait sortie de ta torpeur. » Je ne suis pas certaine que ç'aurait été une bonne chose. Une sœur. Je ne sais pas ce que j'aurais pu en faire.

::

Toi, si tu pouvais être quelqu'un d'autre, qui choisirais-tu d'être ? Francis, il avait toujours de très bonnes questions. Nous étions couchés sur une plage, quelque part sur la Costa Blanca. Nous avions loué une voiture et nous étions partis à la recherche d'une plage déserte. Entre deux montagnes, près de Valence, nous sommes tombés sur une minuscule baie où il n'y avait personne. Il n'y avait pas de sable non plus, que des grosses roches, mais nous étions fatigués de chercher et il faisait une chaleur trop intense pour continuer. Nous avons décidé de descendre de la voiture et nous nous sommes installés sur une grosse roche plate pas trop chaude qui était arrosée de temps à autre par les vagues. Je ne savais pas quoi répondre. Je peux choisir n'importe qui ? Ouais, n'importe qui, qu'il m'a répondu. Sheryl Crow, je dirais. J'ai toujours rêvé de porter des jeans avec des franges, d'avoir un chapeau de cow-boy et de chanter du country. T'aimes le country, toi ? Il avait l'air étonné. Ouais. Pourquoi, j'ai pas l'air d'une fille qui aime le country ? Non, j'aurais plutôt pensé que tu étais du genre hip-hop. Moi ? Hip-hop ? T'es malade ! C'était drôle, nous avons ri quelques minutes, puis nous avons réalisé que nous ne nous connaissions pas du tout. On va jouer à un jeu. Je te pose une question, tu dois absolument répondre et dire la vérité. Après, tu me poses une question, je réponds, et on continue comme ça. Parfait, ça me semble honnête, que j'ai répondu. Je lui ai posé un tas de questions, il m'a posé un tas de questions, il n'y avait pas de fin à tout ce que nous voulions savoir. Le jeu s'est poursuivi durant des heures, des jours, des semaines. Nous nous racontions nos vies, nous parlions de nos rêves, de nos fantasmes, de nos peurs, nous avons fait le tour de tout ce qui pouvait être imaginé comme question et, pourtant, il y avait toujours quelque chose d'autre à demander ou à raconter à l'autre. Ce jeu-là est devenu une drogue pour nous.

Encore plus que la sangria, qui était notre eau, notre source de vie dans cette chaleur accablante.

VI — Francis

Il se passe des choses étranges depuis quelques jours. Des choses qui me confirment que je dois partir.

Hubert est disparu. Je me suis levé un matin et il n'était plus là. J'ai cherché sous les meubles, dans les garde-robes, sur le balcon, même dans le couloir de l'immeuble. Il n'était nulle part. J'ai demandé à ma voisine de palier si elle ne l'avait pas vu.

— Non. Je n'ai pas vu ton chat. Je ne savais même pas que tu en avais un.

C'est étrange, parce que nous sommes voisins depuis trois ans déjà. J'ai écrit une note que j'ai mise dans la boîte aux lettres des autres locataires, et je suis parti. Quand je suis revenu, j'avais reçu quatre réponses. Trois *non* tout simples écrits à la hâte sur le même papier et une réponse pas beaucoup plus élaborée, mais très déconcertante:

You NEVER had a cat.

Je ne suis pourtant pas cinglé. Je sais bien que j'ai un chat. Et on ne me fera pas le coup, j'ai lu *La Moustache* d'Emmanuel Carrère. Je ne sais pas qui m'a répondu une telle chose. C'est de toute évidence celui ou celle qui m'a volé mon chat. L'univers commence à me faire chier. Vraiment.

Hier, j'ai eu envie de me promener au bord de l'eau, mais je ne voulais voir personne. J'ai pris un autobus pour Joliette parce que j'ai pensé que, là-bas, j'aurais plus de chance d'avoir la paix. Je ne connais pas la géographie de Joliette, mais il doit bien y avoir une rivière et un parc ou un sentier pour marcher, quelque chose, me suis-je dit.

Alors que l'autocar traversait un vaste champ de raffineries, juste avant de quitter l'île, j'ai entendu un aigle crier. J'étais convaincu qu'il s'agissait d'un aigle. J'ai regardé par la fenêtre, j'ai même changé de banc pour trouver d'où venait le cri, par quelle fenêtre il était entré, avant de me rendre compte qu'aucune des fenêtres de l'autobus n'était ouverte parce qu'elles ne s'ouvraient pas. Et dans le ciel, il n'y avait qu'une mouette égarée.

Je me suis calé dans mon siège et je me suis mis à pleurer. J'ai pleuré en regardant par la fenêtre. La vue des maisons identiques de la banlieue me faisait mal. Je voyais les portes de garage ouvertes, la lumière à l'intérieur et la pénombre bleutée à l'extérieur, les enfants qui rentraient à vélo, les éclairs blancs et bleus des télévisions allumées dans les salons, et je me suis rappelé ce que c'était que d'avoir douze ans et d'être angoissé au point de vouloir mourir chaque dimanche soir. C'est là que je me suis dit que je ne vivais pas, que je ne faisais que survivre silencieusement, et j'ai décidé que je ne reviendrais pas de Joliette.

De toute façon, quelqu'un m'a volé mon chat. À lui ou à elle de le nourrir, maintenant. Moi, je vais disparaître. Mais avant, il faut que je téléphone à Mehdi.

VII — Émile

Chaque matin je me réveille. Je me répétais cette phrase dans ma tête sans même l'entendre, parce que j'entendais plutôt la voix de Madame Molinaro qui racontait à Francis, à Monsieur Bennington, dis-je bien, qu'un bateau de pêcheurs venus de la France avait été aperçu autour de l'Île le jour de la tempête.

Je traînais mon squelette du divan à la salle de bain parce que j'avais mal au ventre depuis deux semaines et parce que je ne dormais plus la nuit et que tout le jour je ne voulais que rester couché en espérant m'endormir.

La seule envie que j'avais, c'était de partir.

Chaque matin je me réveille. J'ai alors compris. J'ai compris que le lendemain, à quatre heures du matin, je fuirais la puanteur saline, je quitterais cette île abjecte. Le lendemain, à quatre heures du matin, j'avais rendez-vous aux quais avec le coursier du magasin général qui s'en allait à Terre-Neuve chercher une cargaison qui ne m'intéressait pas du tout.

Le lendemain, je serais parti.

VIII — Ariane

J'avais vingt ans, il en avait quarante-deux. J'étais amoureuse de ses cheveux qui commençaient à grisonner et de la façon dont il me faisait l'amour dehors après que toutes les lumières de l'auberge se soient éteintes.

Nous déjeunions ensemble et j'allais me recoucher tandis qu'il travaillait. Il y avait toujours quelque chose à réparer, un client avec qui discuter, une chaloupe à mettre à l'eau, des trucs qui ne me disaient rien. Je dormais dans son lit, je mettais ses vêtements, je lisais ses livres. Il faisait une pause au milieu de l'après-midi et venait me rejoindre dans le lit. Je l'accompagnais dehors, nous regardions les canards sur le lac jusqu'au coucher du soleil. Quelqu'un nous a pris en photo, une fois, et il a presque pleuré en voyant le résultat. Il m'aimait plus que je ne l'aimais. Il a fallu que je parte.

DEUXIÈME PARTIE
Les effets pervers de l'heure avancée

Les gens sont des cons.

— Samuel Beckett, *En attendant Godot*

I — Nuit

La voiture avance trop vite. Mais elle ne déchire pas la nuit noire, simplement parce que l'obscurité ne s'est pas encore installée. L'air est bleu, d'un bleu très foncé. La route s'étend à perte de vue devant les phares de la voiture. Les lampadaires qui éclairent l'accotement teintent les murs des vieilles usines d'une lumière orange presque irréelle. De grands arbres se détachent difficilement du panorama en fondu des couleurs du crépuscule. Ils apparaissent comme en filigrane devant tout le reste, hauts, noirs, emplis d'une majesté nouvelle dont ils n'avaient pas conscience, un peu plus tôt, sous les rayons du soleil. Ce pourrait être n'importe quels arbres, des palmiers comme des érables, des sapins même, pourquoi pas. De grands arbres anonymes qui ondulent avec lassitude. Ils en ont assez, peut-être, d'être immobiles, de regarder tant de voitures passer sans jamais savoir ce vers quoi elles roulent.

La marée est haute. L'odeur est étouffante mais agréable à la fois. Ça sent le poisson mort, la fiente d'oiseaux marins, mais ça sent aussi les algues tout juste échouées, ça sent la fraîcheur du large. S'ils y faisaient attention, un tout petit peu, ils pourraient entendre les vagues se fracasser contre les murs de ciment des quais qu'ils longent. Mais la musique qu'ils écoutent est beaucoup trop forte. Ils hurlent tous les deux, ils se regardent parfois. Francis se laisse conduire.

La lune est immense. Une grosse boule qui ne bouge pas, là-bas, devant eux. Une grosse boule rouge.

Les fenêtres sont ouvertes, l'air frais entre dans l'habitacle, s'engouffre dans les cheveux emmêlés de Léa.

La voiture ralentit, la musique s'évapore. Les pneus font craquer le gravier de l'allée sur laquelle ils s'engagent. Ils sortent du véhicule. Francis lève les bras vers le ciel et un son étrange s'échappe de sa bouche au moment où il s'étire. Ses genoux craquent, il sourit. Il regarde Léa qui s'éloigne vers le bassin. Il l'entend l'appeler.

— Francis ! Allez, viens.

L'écho de ses pas frappe les murs de ciment de l'entrepôt et s'éloigne tandis qu'elle s'efface pour pénétrer l'obscurité au bout du chemin mal éclairé. Il s'élance à sa poursuite.

Elle est belle, dans la lumière de la lune rouge. Ils s'embrassent.

— On est où, là ? demande-t-il.

— Derrière un vieil entrepôt.

— Oui, ça je sais. Mais c'est quoi la ville ici ?

— Brookings. On vient tout juste d'entrer en Oregon. Tu n'as pas remarqué ?

— Je ne prêtais pas attention.

Il fait encore chaud. Le ciel est clair. Ils savent qu'ils doivent profiter de chaque minute. Dans quelques heures à peine, l'air deviendra froid et humide, le brouillard se jettera sur la côte, descendra des montagnes et se frottera contre les falaises et les promontoires rocheux. Ils devront trouver un endroit où dormir, se reposer un peu en vue du dernier départ le lendemain matin. Plus de six heures de route les séparent encore de Portland, peut-être même sept ou huit puisqu'ils ont décidé de prendre par la côte. Ils s'arrêteront plusieurs fois pour attraper un sandwich, quelques burritos, prendre des photos, regarder les lions de mer se prélasser au soleil sur des rochers, s'embrasser encore, se dire qu'ils vont s'ennuyer, se promettre de s'appeler chaque jour. Léa s'arrêtera à Portland pour jouer le rôle d'une écrivaine française en résidence à l'Université dans un film à petit budget, une écrivaine mineure qui se lie d'amitié avec une étudiante dépressive venue de Chicago et qui aime grimper dans les arbres et dessiner les étrangers qu'elle croise dans les cafés. Une histoire amusante pour intellectuels romantiques. Francis continuera seul. Il prendra un car vers Seattle, puis un autre vers Vancouver. Là, il a donné rendez-vous à quelqu'un.

::

Son dernier modèle de la semaine frappe à la porte du studio.

— Un instant !

Il prend quelques notes sur un bout de feuille trouvé quelque part sur la table, mord l'efface au bout du crayon, puis l'installe sur son oreille droite et va ouvrir.

— Bonsoir. Mon nom est Pei Wu, j'ai rendez-vous avec Émile DeSanti.

— Oui, c'est moi. Entrez.

Émile s'efface pour le laisser passer. Pei Wu fait quelques pas dans le studio et s'arrête tout de suite.

— C'est un studio extraordinaire que vous avez !

— Merci. C'est une amie qui est propriétaire, elle loue à un prix ridicule.

Émile l'invite d'un geste à prendre place sur un canapé en angle. Pei Wu s'exécute et lisse sur ses cuisses son pantalon noir. Il sourit et cherche à poser son regard quelque part. Une photographie immense couvre tout un pan de mur à sa gauche. Il s'y attarde. C'est l'image en noir et blanc d'un verre rempli d'une eau très claire troublée par une seule goutte d'un liquide plus sombre qui y coule. On dirait du sang.

— C'est une des pièces que j'ai présentées au vernissage des finissants à Emily Carr.

Pei Wu hoche la tête. Ils se regardent, mal à l'aise tous les deux. Puisqu'ils ont environ le même âge, Émile opte pour le tutoiement.

— Bon. Est-ce que c'est ta première fois ? demande-t-il.

— Oui.

— Tu veux un verre de vin, du thé, de l'eau, quelque chose ?

— Un peu de vin, oui, peut-être.

Émile se dirige vers l'autre côté du studio et ouvre la porte d'une armoire qui dissimule un petit réfrigérateur.

— J'ai du vin blanc d'Alsace. Est-ce que ça va ?

— Oui, ça va.

: :

Elle se répète que ça ne veut rien dire. Elle le répète sans cesse depuis deux semaines. Dans sa tête, d'abord. Puis elle l'écrit sur des bouts de papier qu'elle laisse traîner un peu partout. Depuis trois jours, c'est à voix haute qu'elle le dit. Les mots résonnent sur les murs de son appartement. Ils frappent les toiles, les photos, ils s'accrochent aux rideaux. Elle est excitée, malgré tout. Ça ne veut rien dire. Ça ne veut rien dire.

Il y a quelque chose qui ne marche pas. Pourquoi maintenant ? Pourquoi Vancouver, surtout ?

Peu importe. Elle lance dans son sac quelques livres qu'elle prend au hasard dans la bibliothèque du salon. Elle s'arrête un instant et constate qu'elle n'a choisi que des romans de Jane Austen. Ça suffira. Sinon, elle dormira. Elle a trois jours devant elle. Trois jours à passer dans un autocar. Trois jours à lire Jane Austen. Trois jours à se répéter que ça ne veut rien dire, même si elle n'y croit pas, même si elle sait qu'elle espère que ça voudra dire quelque chose. Trois jours à savoir qu'elle sera déçue, mais qu'elle le fait quand même.

Elle prend le téléphone et compose un numéro familier.

— Maman, c'est moi.

— Oh, Ariane, bonjour ! Je voulais justement t'appeler. Michel va venir à Québec en fin de semaine et il m'a demandé de te dire qu'il pourrait aller chez toi jeter un coup d'œil au chauffe-eau.

— Ah, génial. Tu lui diras qu'il peut passer quand il voudra. Mais il faudrait que tu viennes avec lui parce que je vais être partie.

— Tu as une réunion à Montréal, encore ?

— Non, j'ai pris deux semaines de vacances et je vais voir un ami à Vancouver.

— Un ami ? Quel ami ?

— Tu le connais pas, maman. Bon, il faut que je raccroche, je te rappelle à mon retour, OK ?

— Oui, oui. Fais attention à toi.

— Oui, maman ! Je t'aime.

— Moi aussi.

Alors qu'elle se lave les cheveux, elle se met à avoir peur. Ça la prend comme ça, pour aucune raison. Le shampoing coule dans son dos, ses cheveux collent à son front. Elle reste debout sous le jet chaud, elle ne bouge plus. Elle frissonne. Le plancher craque dans la cuisine. Ariane ne respire plus.

Il a entendu la douche couler. Il sait donc que quelqu'un est là. Qu'est-ce que je fais ? se demande-t-elle.

Ariane sort de la douche sans fermer le robinet. Elle enroule une serviette autour de son corps humide et regarde tout autour, à la recherche de quelque chose pour se défendre. C'est une salle de bain, bordel ! Elle n'a pas l'habitude d'y cacher des armes. Ariane panique un peu, puis la toilette attire son attention. Elle retire le couvercle du réservoir et tourne avec précaution la poignée de la porte. L'eau coule toujours dans la douche, de la vapeur s'échappe du rideau entrouvert. Ariane ouvre la porte d'un coup de pied et saute dans les airs. Elle lève bien haut le couvercle de porcelaine et hurle pour faire peur à l'intrus.

Mais il n'y a personne.

Elle fait le tour de toutes les pièces, l'arme sanitaire à la main.

Personne.

Il n'y a personne.

::

Étrangement, le brouillard n'est pas encore descendu. On ne le voit même pas là-haut, dans les montagnes encore vertes qui ne seront bientôt plus qu'une masse noire bloquant l'horizon. La lune règne déjà sur la marina. On entend quelques éclats de rire, quelques bruits de vaisselle qui proviennent des embarcations accostées. Un lion de mer, pas très loin, veille encore.

Quelque part, quelqu'un écoute de la musique. Toujours la même chanson, en boucle. Cette chanson de Macy Gray qui a un air de déjà-vu, celle qui donne mal au ventre parce qu'elle représente à la fois la nostalgie de ce que l'on a perdu et l'espoir de ce que l'on n'a pas encore trouvé. Il a mal au ventre, Francis. Ça tombe bien.

Les pieds dans l'eau, il regarde le large. Il écoute la voix rauque de la chanteuse hurler dans un habile mélange de soul et de blues. Ça lui rappelle un tas de souvenirs qu'il ne peut pas nommer, qu'il ne se sent pas la force d'identifier. Il pense à Léa, puis à Ariane. Léa qu'il aime vraiment. Et Ariane à qui il a donné rendez-vous à Vancouver sans avoir de raison de le faire, pour le plaisir de la revoir pour la première fois depuis qu'il s'est enfui sans lui dire au revoir, un matin comme ça, un beau matin baigné par le doux soleil de Barcelone.

Léa soupire.

— Je suis bien ici, avec toi.

Francis avale sa salive avant de répondre.

— Moi aussi.

C'était la chose à dire. Il est bien, lui aussi. Mais il n'a pas envie de parler. Il a plutôt envie d'écouter la musique provenant du bateau voisin, encore, les petites vagues se fracasser sur le bois des quais, les grognements mélancoliques du lion de mer pas très loin, les mouettes qui ne dorment jamais, écouter pour savoir enfin si la lune fait du bruit lorsqu'elle tombe dans l'océan Pacifique. Il ne veut surtout pas parler.

Elle est belle, dans la lumière de la lune rouge.

Il se lève.

— Tu viens ? On devrait chercher un endroit où dormir.

Le centre-ville est désert. Et le vieux bottin téléphonique trouvé dans une aussi vieille cabine ne liste aucune auberge. Au loin sur Chetco Avenue se profilent les néons bleus toujours rassurants du Best Western, le meilleur dans l'Ouest.

Au comptoir, on les informe qu'ils paieront trente dollars de moins pour la nuit que s'ils avaient choisi la succursale située près de la marina. On leur demande de ne pas s'adonner à la prostitution ni au trafic de drogues. Finalement, on leur remet un immense morceau de plastique auquel la clé portant le numéro de la chambre qu'on leur a attribuée est accrochée.

Il y a une cafetière et un four à micro-ondes, et la télévision est branchée au câble.
Francis s'endort devant le bulletin de nouvelles.
Léa répète quelques scènes dans la salle de bain.
Ils sont parfaitement heureux, tous les deux.

Dans ses rêves, il écoute de la musique et mange du pain en faisant cuire à la vapeur des légumes de saison.
Dans les siens, elle fait l'amour avec quelqu'un d'autre.
Un homme noir.
Qui s'appelle Edward.

: :

Il a enlevé sa chemise comme un danseur de ballet moderne, avec fougue, en envoyant sa tête valser en arrière et en tirant sur les deux pans du vêtement sans faire sauter un seul bouton. Puis il s'est ressaisi et a redressé sa colonne vertébrale dans un mouvement de gêne et d'embarras. Il avait probablement en tête une chanson de Jamiroquai, ou un funk du même genre. Comment expliquer autrement cette impulsion étrange?
Il roule maintenant son vêtement entre ses mains désorientées.
— Euh… est-ce que je dépose ça quelque part?
Émile s'empare de la chemise.
— Laisse, je vais m'en charger.
Il la lance sur le divan pas très loin et se racle la gorge.

— J'y pense, tu iras enlever le reste dans la loge. Mais pour le moment on va faire un *shooting* comme ça, torse nu. Ça te va ?

Pei Wu acquiesce. Il se dirige vers les panneaux noirs, dans l'autre coin de la pièce. Un petit banc meuble le décor, placé un peu en retrait à gauche. Quelques projecteurs sont allumés et pointent dans toutes les directions.

— Ce que je vais faire tout d'abord, dit Émile sans détacher son regard du modèle, c'est essayer de capter quelque chose comme de l'angoisse musculaire.

— De l'angoisse musculaire ?

— Mouais. J'invente peut-être, je sais pas trop. Essaie de contracter tes muscles.

Il indique du regard les abdominaux de Pei Wu. Sa peau est légèrement foncée, presque orangée. Il n'a pas beaucoup de poils, quelques-uns seulement entre les pectoraux et autour des mamelons, ainsi qu'une ligne très mince qui contourne le nombril et disparaît par la suite sous le pantalon. Ses hanches se détachent légèrement de son corps, on peut voir les os qui saillent sous la peau tendue. Un creux linéaire se dessine du sternum jusqu'au nombril, autour duquel les abdominaux s'alignent en ordre décroissant. Quelques côtes paraissent, mais se font discrètes. Émile détourne le regard et s'éloigne vers le coin salon du studio.

— Je vais mettre de la musique. Te gêne pas pour me dire si ça te dérange. Il faut que tu sois à l'aise pour que les photos soient réussies.

— Ça va. Je te le dirai.

Émile appuie sur quelques boutons et la musique démarre. Il a mis quelque chose d'étrange, avec des sons presque industriels. Une musique électronique lente, inquiétante, une musique de fond de ruelle.

— Est-ce que je dois m'asseoir sur le banc ?

— Non, pas tout de suite. Je vais l'enlever de là, d'ailleurs.

Émile s'approche pour retirer le banc du décor et frôle presque son modèle, qui ne bouge pas d'un centimètre.

Émile avance ses mains et les place sur les épaules de Pei Wu.

— Tu vas te mettre ici, comme ça.

Il le pousse un peu vers la gauche et le tourne légèrement pour qu'il se présente de manière oblique.

— Mets tes bras à l'arrière, comme ça. Puis tourne la tête légèrement. Ouais. Comme ça.

Il recule et observe un moment la pose, en prenant son menton entre le pouce et l'index de sa main droite.

— Oui, c'est parfait.

Il monte sur le banc qu'il a poussé plus loin et ajuste un projecteur, qu'il dirige en haut de la tête de Pei Wu. Puis il en prend un autre qu'il pose sur le sol et le dirige vers les pieds du modèle.

— J'essaie de faire en sorte que la lumière vienne de l'extérieur, mais qu'elle soit assez près pour qu'on la sente sur la pellicule. Je veux qu'on voie l'ombre entre tes muscles, tu comprends ?

Pei Wu fait un signe de la tête.

Émile recule, regarde encore et acquiesce. Il se dirige ensuite vers une petite table sur laquelle repose une série d'appareils photo, de pellicules, de lentilles et d'instruments de toutes sortes. Il choisit son appareil, y introduit une carte mémoire et fait quelques photos pour s'assurer que tout fonctionne correctement.

— Maintenant, reste dans cette position et essaie de contracter tes abdominaux. Pas trop, juste un peu.

Pei Wu fait ce qui lui est demandé. Son ventre se contracte.

— Parfait. Je vais prendre plusieurs photos pour m'assurer que j'ai le bon angle et que j'ai choisi la bonne obturation. Je te le dirai quand tu pourras relâcher. Ça ne devrait pas être trop long.

Émile s'accroupit et fait une dizaine de clichés en contre-plongée, avant de se déplacer devant le modèle.

— Tu viens d'où, Pei Wu ?

— Tu peux m'appeler juste Pei, si tu veux. Je viens de Shanghai.

Il marque une pause.

— Je peux parler pendant que tu prends tes photos ?

Émile rit et lève les yeux vers le modèle.

— Bien sûr que tu peux parler ! Pourvu que tu ne relâches pas tes muscles, du moins pas encore.

Il colle son œil contre l'appareil et recule.

— Tu vis ici depuis longtemps ?

— En réalité, je suis né à Montréal. Ce sont mes parents qui viennent de Shanghai.

Émile prend encore quelques photos, puis se dirige derrière le modèle.

— J'ai habité en Chine quelques années, chez mes grands-parents, quand j'étais enfant. Après, mes parents ont voulu que je revienne ici et j'ai été à l'école à Montréal. Je suis arrivé à Vancouver il y a cinq ans pour le travail.

Émile s'approche et défait le bouton du pantalon de Pei Wu, qui s'arrête tout de suite de parler. Émile recule et constate le trouble qu'il vient de causer. Il rigole et prend une photo pour immortaliser l'expression de surprise du jeune modèle.

— Excuse-moi, continue. Je t'écoutais, mais j'étais aussi vraiment concentré sur mon travail. Et j'ai pensé que ça serait mieux avec le bouton détaché.

Pei Wu se détend.

— Ça va, j'ai été surpris!

— Pardonne-moi. C'est le genre de chose que je fais quand je travaille. Il va falloir t'habituer à ce que je te touche.

— Je m'habituerai, promis.

Pei Wu reprend son histoire là où il s'était arrêté, non pas sans essayer d'attraper le regard d'Émile qui se promène sur tout son corps. Il a compris quelque chose.

::

Ariane met un disque pour essayer de se calmer. Il n'y a personne dans la maison.

Il n'y a personne sauf elle.

Elle boit un verre de vin rouge et mange quelques craquelins tout en écoutant de la musique plutôt douce. Elle voudrait bien être capable de se relaxer.

Dans sa bouche, les goûts se divisent. Elle discerne très bien le sésame du lin, puis le millet et les graines de pavot. Elle goûte à toutes ces farines différentes: riz, seigle, blé, maïs. Le sel se dépose sur sa langue et c'est à ce moment qu'elle peut enfin se détendre.

Voilà pourquoi elle aime tant ces craquelins. Ils lui apportent quelque chose qui transcende la nourriture, quelque chose d'éthéré. Elle se sent plus près de Dieu, ou une connerie du genre. Puis c'est le goût du vin qui emplit sa bouche. Celui-là, par contre, elle le saisit avec moins de finesse, elle a beaucoup plus de difficulté à en séparer les arômes et les différentes saveurs. Elle sait qu'elle aime ou pas, mais ses compétences se limitent à cette considération élémentaire.

Elle prend une grande bouffée d'air et soupire.

Puis, c'est à ce moment qu'elle sent que quelqu'un se cache peut-être derrière le divan.

Que quelqu'un est peut-être en train de l'observer.

II — Matin

Francis se réveille lentement. La chambre est plongée dans le noir parce que le soleil ne passe pas à travers le tissu épais des rideaux. Il ne fait pas soleil dehors, de toute façon. Le ciel est gris, les nuages stagnent, très haut. Le vent ne souffle pas. Au loin, une lame de brouillard lèche toujours la cime des grands arbres. Le stationnement du motel est presque vide. Un vieux camion Chevrolet est garé près de l'accueil. Un autre véhicule est stationné devant la porte numéro 20, de l'autre côté du long corridor extérieur. La voiture rouge n'est pas dans le stationnement. Mais ça, Francis ne le sait pas. Parce qu'il se réveille lentement.

Il émerge de son dernier rêve. Un rêve emmerdant qui l'a épuisé et dont il sort dans la douleur. Il s'étire et tente d'attraper quelque chose. Un oreiller, une couverture, n'importe quoi. Il saisit finalement le réveil-matin posé sur la petite table de chevet. Il affiche à peine sept heures. Francis n'a pas l'habitude de se réveiller aussi tôt. Il a toujours eu le matin en horreur. Pour lui, le monde est pourri, le matin. Tout le monde est pressé, tout le monde est en retard. Ça pue le mauvais café, ça pue le manque de sommeil. Et il n'y a rien de bon à la télévision. Peu importe où il est dans le monde, peu importe la chaîne sur laquelle il s'arrête, il tombe inévitablement sur une émission débile animée par de mauvais acteurs qui se recyclent, des finissants des écoles de communication qui ne voulaient pas présenter la météo ou des athlètes qui ont récemment participé à leurs derniers jeux olympiques. Il y a toujours une frisée qui s'occupe de la chronique des arts et spectacles, quelqu'un qui vient parler d'activité physique et de nutrition, quelqu'un d'autre encore pour prétendre avoir lu tous les journaux locaux et nationaux et en faire une revue de presse. Francis prend son temps, donc. Il se force pour se rendormir, pour ne pas se réveiller avant neuf heures, l'heure des émissions de développement personnel et de cuisine. Cette fois, pourtant, il n'y arrive pas. Il est sept heures du matin et il ne se rendort pas.

Il se tourne pour se coller contre Léa. Elle dort toujours très tard le matin, elle aussi. Mais elle n'est déjà plus là.

Francis se dresse dans le lit et scrute la chambre obscure. Il étend le bras et allume la lampe de chevet. Il n'y a personne. Léa est sortie, sans doute. Ses souliers ne sont pas là.

Francis se lève et s'étire. Elle a probablement laissé une note pour expliquer où elle est allée. Chercher du lait à l'épicerie, peut-être.

Le téléphone sonne. Francis décroche.

— *Sir, this is the wake up call you asked for yesterday.*

— *I didn't ask for a wake up call*, répond Francis, la voix enrouée.

Il n'a jamais demandé à personne de le réveiller de si bonne heure le matin.

— *I'm sorry, but the lady who checked in with you last night told us to do so. Have a nice day, sir.*

Après s'être excusée, la voix a tout simplement raccroché. Francis considère le combiné quelques instants avant de raccrocher à son tour.

Il s'approche de la cafetière. Léa n'a pas pris de café avant de quitter la chambre. C'est étrange, puisqu'elle en a toujours un à la main, que ce soit le matin ou le soir. Il se dirige vers la fenêtre et écarte les rideaux. La voiture rouge qu'ils ont louée à San Francisco n'est plus là. Léa reviendra, sans doute. Cet appel devait lui être destiné, afin qu'elle ait quelques heures devant elle pour répéter avant de prendre la route.

Francis s'assoit au bout du lit. Il allume la télévision, puis la referme aussitôt. Il se penche et fouille dans son sac, d'où il extrait un crayon et un carnet. Il en arrache une feuille et rédige une note à l'intention de sa copine. Il lui écrit qu'il sera de retour bientôt, qu'il est allé marcher pour se réveiller un peu.

Il enfile un jean, passe une chemise par-dessus sa tête sans la déboutonner et met ses souliers. Il ouvre la porte, la verrouille et s'éloigne vers la route peu achalandée.

::

Pei Wu se réveille en sursaut. Il prend conscience très vite de son corps affaissé sur le divan, de ses muscles qui lui font mal. Il entend quelque chose, de la musique qui vient de quelque part dans le studio. Il se lève. Ses jambes flanchent, mais il parvient à rester debout. Ses genoux craquent. Il remarque la chaîne stéréo renversée sur le sol, sous un gros coussin. Il la débranche et se rend à la salle de bain. La grande porte dissimule une toute petite pièce blanche dans laquelle une cuvette, un lavabo et un bain sur pattes se disputent le peu d'espace disponible.

Derrière la porte désormais close, Pei Wu remarque un grand miroir qui lui renvoie son image des pieds à la tête. Le bas de son dos est drôlement teinté sur la droite. Il se découvre une ecchymose assez importante qui paraît brune, ou bleue peut-être. Sa tête lui fait mal. Il a bu trop de vin. Il prend une petite bouteille sur le comptoir et avale deux comprimés sans trop savoir ce que c'est. Il a la gorge sèche. Il boit de l'eau à même le robinet, puis se mouille les mains et les passe ensuite dans ses cheveux ébouriffés.

Et il éclate de rire.

Puis se ressaisit aussitôt. Il ne veut pas réveiller Émile, qui dort encore quelque part dans le studio, sans aucun doute.

Il sort de la petite pièce blanche et réintègre la grande, l'obscure. Il avance sans faire de bruit. Il repère son pantalon et sa chemise, les enfile en silence. Il regarde autour de lui. Émile doit se trouver sous le tas de couvertures près du divan. Pei Wu cherche quelque chose pour laisser une note, en vain.

Il se rend jusqu'à la porte du studio et l'ouvre avec délicatesse. Puis il se ravise. Il fait quelques pas sur la droite et s'arrête. Il regarde le tas. Ça ne bouge pas, ou presque pas. Pei Wu prend alors un appareil photo sur la table et sort doucement.

Sous les couvertures, Émile dort encore.

Il entend la porte se refermer, mais il ne s'agite pas pour autant. Plus tard, lorsqu'il se lèvera vers midi, il ira au café au coin de la rue. Il mangera une omelette et boira un thé. Il lira le journal d'un œil, tandis que l'autre se perdra au-delà de la rue derrière la grande vitre, au-delà des grues qui font pousser les édifices comme des champignons un peu partout à l'horizon, au-delà de la baie, au-delà de tout ce qu'il a déjà regardé. Cet œil cherchera à se rendre de l'autre côté de l'océan, quelque part près de Shanghai.

::

Le réveil sonne, mais Ariane est debout depuis quelques heures déjà. Elle mange des bonbons en lisant une vieille carte de Noël qu'elle a trouvée la veille dans une boîte au fond de son placard. Puis elle jette la carte sur la table et se lève.

— J'arrête le réveille-matin, puis j'y vais.

Elle s'exécute, ramasse son sac, attrape un chandail en coton ouaté sur le dossier d'une chaise et enfile ses souliers.

— Bon, je m'en vais.

Elle attend une réponse qui ne vient pas, un bruit suspect, quelque chose, n'importe quoi. En vain. Elle referme la porte sans regarder derrière elle. Elle ne sait pas à qui elle s'adresse ainsi, mais elle se sent plus forte lorsqu'elle fait semblant de trouver la situation normale.

Dehors, le soleil brille. Le ciel est bleu, il n'y a pas un nuage. Des oiseaux chantent quelque part. Une voisine arrose ses plantes sur le balcon. Ariane lui adresse un sourire en passant. En face, un garçon s'amuse à botter un ballon sur la porte du garage. Quelqu'un, sous une voiture, blasphème à voix haute. On klaxonne au loin.

Ariane marche jusqu'à la première intersection. Elle prend à droite, avance de quelques centaines de mètres, puis s'installe sur un banc pour attendre le prochain autobus en direction de la gare du Palais.

III — Avant-midi

Elle écoute une sorte de rap étrange. Quelqu'un joue du piano tandis que quelqu'un d'autre frappe sur un chaudron avec une cuillère de bois. Ce n'est probablement pas du rap, se dit-elle. Les frontières sont poreuses, les genres se chevauchent et se multiplient, de nouveaux émergent tous les jours. Peut-être s'agit-il d'anti-folk-expérimental, ou encore de fresh-punk-instrumental. Pour Ariane, par contre, ça n'a aucune importance.

Il est encore tôt. Entre Québec et Montréal, il n'y a rien à voir. Personne avec qui parler non plus. Tout le monde dort, ou presque. Ceux qui sont éveillés travaillent, finalisent un rapport, lisent des documents. Ariane ne lit pas le matin, c'est contre ses principes. Écouter du rap accompagné de piano et de percussions élémentaires, ça, par contre, c'est tout à fait permis.

L'autre n'est pas là. Celui dont elle a senti la présence dans la douche, derrière le divan, à la table de la cuisine. Peut-être est-il resté à Québec. Peut-être reviendra-t-il. Peut-être n'existe-t-il tout simplement pas.

Ariane écoute de la musique.

En cet instant, donc, rien d'autre n'est important.

Elle écoute de la musique.

Et mange un muffin au chocolat et aux poires.

::

Il pousse la lourde porte, qui semble renforcée comme si elle devait protéger des balles d'un fusil, pense-t-il. Pour un motel Best Western, c'est étrange. Quoique, s'il y a des putes et de la drogue dans les environs…

Dans une main, Francis tient le livre qu'il est en train de lire. Un livre trouvé par terre, à la sortie du supermarché. Un roman de Francis Scott Fitzgerald, probablement échappé par une touriste allemande. Dans l'autre, il tient un berlingot de lait au chocolat. Son déjeuner habituel.

Sur le lit, une boîte de carton attire son attention. Il ne se souvient pas d'avoir laissé une boîte sur son lit. On ne laisse pas de boîte sur un lit. Cela ne fait pas partie des gestes accomplis quotidiennement le matin.

::

Il n'avait pas d'autre choix. Il n'y avait aucun autre endroit où aller. Stanley Park était le lieu tout indiqué.

Émile est monté tout en haut de la falaise qui surplombe l'eau et les banlieues perchées sur les montagnes, de l'autre côté de la baie. Il s'est rendu là où se rendent les amoureux, les touristes, les cyclistes, là où tout le monde se rend, bref. Il s'est assis sur un banc près de l'observatoire. Il était seul malgré la foule et ça lui convenait parfaitement.

Il y est resté plus longtemps que tout le monde. Il y est encore.

Il profite du soleil de l'avant-midi. Du bruit des oiseaux. Du spectacle des aigles qui nichent à la cime des arbres. Des bateaux accostés dans la baie.

Il se dit qu'il aurait aimé être poète, s'il n'avait pas choisi la photographie.

Ou peut-être agent de bord pour une compagnie de transport aérien.

Ou encore promeneur de chiens.

::

Francis ouvre la boîte et éclate en sanglots.

Et il se trouve stupide, bien entendu.

Mais quand même, le ravissement qu'il ressent est si fort qu'il ne peut empêcher les larmes de couler le long de ses joues, des larmes de joie, il va sans dire, mais des larmes quand même.

Il prend le chat dans ses bras, lui gratte la tête, enfouit son visage dans sa fourrure qui sent la cannelle, c'est bien étrange, il n'a jamais senti la cannelle, mais c'est lui, c'est Hubert qui ronronne et ferme les yeux pour mieux profiter des caresses de son maître retrouvé après tant d'années.

Francis l'observe un moment. Il n'a pas vieilli du tout.

Quelques heures plus tard, une fois l'excitation passée, il appelle à la réception. On lui assure que personne n'est passé lui porter quoi que ce soit, qu'on n'a remis les clés de la chambre à personne, d'ailleurs il n'y a qu'une série de clés pour chaque chambre et un passe-partout que la femme de ménage utilise, mais on a vérifié avec elle, elle n'a rien laissé sur le lit, elle n'a vu personne déposer quoi que ce soit, elle n'a rien remarqué de particulier, non, elle n'a aperçu aucune boîte de carton. Vous posez des questions bien étranges, Monsieur Bennington, est-ce que tout va bien ? Je profite de l'occasion pour vous rappeler que les animaux domestiques sont interdits dans l'établissement, je ne comprends pas très bien votre histoire de chat, mais puisque votre femme semble vous avoir quitté, je vais faire une exception, je fermerai les yeux pour quelques jours, mais vous devez comprendre que vous ne pourrez pas garder cet animal très longtemps, les clients peuvent se plaindre, peut-être que votre voisin est allergique aux chats, Monsieur, pensez-y bien et n'hésitez pas à nous appeler de nouveau si vous avez besoin de quoi que ce soit. Ma femme a fait un très bon ragoût pour dîner, il en reste, je vous en enverrai un bol que vous pourrez réchauffer dans le four à micro-ondes, vous allez voir, il est très bon, ça vous remettra les idées en place.

Francis est étourdi. Il pose sa tête contre l'oreiller. Hubert somnole tout près, en boule sur un tas de couvertures.

Francis allume la télévision et sélectionne une chaîne musicale. *Adult Contemporary Alternative.* Il se demande ce que ça peut vouloir dire, puis comprend que ce n'est pas très important. Il n'écoutera pas la musique qui va jouer, de toute façon.

Il s'endort. Il doit être près de midi. Il mangera le ragoût plus tard.

IV — Après-midi

Ce sera la partie la plus longue du trajet. Le tronçon le plus interminable. Il n'y aura rien à voir par la fenêtre. L'autocar ne s'arrêtera qu'une fois dans un petit village perdu pour que les passagers puissent sortir afin de manger une bouchée dans une cantine au-dessus de laquelle flotte un drapeau du Liban. Sinon, il n'y aura que des arbres et des arbustes chétifs d'une couleur ambiguë, située entre le vert et le gris. Et des roches, des tas de roches. Des rochers. Du sable. Et ça durera toute la journée. Six heures de temps.

La femme assise derrière Ariane chante dans son sommeil. Elle laisse échapper quelques notes de temps à autre. On ne peut pas vraiment deviner quelle chanson elle fredonne, mais tout le monde se rend compte qu'elle n'a pas été formée dans une école de chant.

Ariane ne dort pas. Elle se demande ce qui se passe pour qu'elle s'imagine être épiée. Y a-t-il vraiment quelqu'un qui l'observe et qui la suit depuis la veille ? Elle sent maintenant sa présence sans pouvoir expliquer d'où vient cette impression étrange. Elle soupçonne une présence, mais elle n'est pas folle, quand même, il y a forcément une explication, mais laquelle, putain, c'est bien une présence qu'elle sent, non ?

Elle ne lit rien et n'écoute plus aucune musique. Elle veut prêter l'oreille et rester attentive à la moindre perturbation des courants d'air, des odeurs et des bruits.

Rien.

Il n'y a toujours rien, toujours aucun élément de réponse.

Elle ne s'endormira pas, elle ne profitera pas de la mort du temps pour se divertir ou pour réfléchir à quoi que ce soit d'autre. L'interminable Ontario ne lui sera d'aucune utilité, puisqu'elle se refusera toute activité tant qu'elle ne connaîtra pas l'origine de son malaise.

Parce qu'elle est victime d'un malaise, se dit-elle. Aucun fantôme ne la hante. Ariane ne croit pas aux fantômes. Sa vie n'est pas un film d'horreur. Ni un roman policier.

Peut-être est-elle simplement angoissée ou énervée, pense-t-elle. Elle n'avait pas eu de nouvelles de Francis depuis sept, huit, neuf ans, peut-être même dix, peut-être même plus. D'abord il a disparu, il a quitté l'Espagne sans elle, sans l'avertir, puis il est parti enseigner le français quelque part au milieu de l'océan Atlantique, pour finir par ne plus répondre à ses lettres, qui lui revenaient désormais avec la mention *Destinataire inconnu à cette adresse.* Il est normal qu'elle s'énerve à l'idée de le revoir. Après tout, si ses rationalisations névrosées s'avèrent justes, il est vraisemblable de penser qu'elle aurait laissé fuir l'amour de sa vie. Mais ça, c'est une tout autre histoire.

Il y a donc une explication logique, sinon psycho pop à tout cela.

C'est peut-être mieux ainsi. Oui, à bien y penser, il est préférable pour Ariane de chercher à comprendre pourquoi elle s'imagine être accompagnée par une entité insaisissable. Sinon, elle mourrait d'ennui.

La route qui sépare Ottawa de Sudbury a cette caractéristique particulière d'être si longue qu'elle parviendrait à rendre fou n'importe qui.

: :

Son repas est froid, mais il n'a plus faim, de toute façon. Il regarde le téléphone qui ne sonne pas. Il le fait quand même, tout en sachant qu'aucun téléphone ne sonne sous l'effet d'un regard, aussi perçant soit-il.

Il a déjà laissé un message, pas du tout désinvolte. Du genre : Bonjour Pei Wu, c'est Émile DeSanti. Vous savez, depuis votre passage hier, je n'arrive plus à mettre la main sur un de mes appareils photo de marque Canon. L'auriez-vous emporté avec vous par inadvertance ? J'aimerais que vous me donniez un coup de fil à ce sujet. Je serai au studio toute la journée.

Bon, il l'admet, le vouvoiement était de trop. C'était assurément exagéré. Mais c'est ainsi que les choses se sont déroulées et il est impossible pour quiconque de revenir en arrière, de jouer avec le temps de manière à corriger ses erreurs. À moins de traverser la ligne de changement de date d'ouest en est, mais ça devient compliqué, on se perd rapidement et on ne sait plus quelle heure il est, quel jour, et puis, de toute façon, il faudrait prendre le bateau ou l'avion et c'est une idée ridicule.

Si la chose était plus simple, Émile corrigerait beaucoup plus que ce message téléphonique. Il revisiterait toute la soirée de la veille. Mais, pour commencer, il changerait de sujet. Il se spécialiserait plutôt dans les natures mortes et les fêtes d'enfants.

Il ne finit pas son assiette et ne cesse de regarder le téléphone.

Qui finalement se met à sonner.

— Oui, j'écoute.

— *Hi. Sorry to bother you*, fait une voix qui n'a pas l'anglais comme langue maternelle. *May I speak with the head of the household, please?*

C'est un sondage téléphonique, pense Émile. Il raccroche aussitôt.

Émile se rend à la fenêtre.

Dehors, il n'y a personne.

Dehors, le soleil plombe encore. Il y a déjà deux semaines qu'il n'a pas plu.

Émile téléphone à Nicolas Teillol, un ami.

Ils se donnent rendez-vous à dix-sept heures, dans un bateau.

Parce que Nicolas Teillol habite dans un bateau.

V — Vers dix-huit heures

— *Thank you very much. I appreciate what you did for me.*

Francis tend la clé de sa chambre à l'homme derrière le comptoir. Le poste de radio diffuse dans la pièce un vieil air country. Francis aurait choisi d'écouter autre chose, de la musique électronique, plutôt, parce que la situation dans laquelle il se trouve n'a rien de bien réel. Mais il n'exerce aucun contrôle sur la trame sonore de son existence, il doit se contenter du vieux country.

— *Let it go*, lui répond l'homme. *That was nothing at all. I hope you enjoyed your stay here.*

Francis ne répond pas. Il sourit au propriétaire, quitte le petit bureau et marche vers le sud sur le boulevard peu achalandé. Il se souvient d'avoir vu une agence de location de voitures à quelques centaines de mètres de l'hôtel, sur Chetco Avenue. Francis fait quelques pas et y arrive presque immédiatement.

La femme à l'accueil est petite, ses cheveux sont longs, elle ne doit pas avoir plus de trente ans. Amelia, annonce son macaron. *How may I help you, sir?*

Francis loue un véhicule économique, un modèle à deux portes sans caractéristiques particulières. On lui assure qu'il pourra le laisser à l'aéroport, il n'y a aucun problème, monsieur, puisque l'agence a un bureau sur place.

Francis règle la note avec la carte de crédit de Léa. Durant les quelques secondes d'attente nécessaires pour obtenir l'autorisation de la banque, une pointe de nervosité lui traverse l'estomac. Et si elle avait fait annuler la carte ? Amelia lui sourit pourtant en lui tendant le papier à signer. En matière de vengeance, ce n'est qu'un petit geste, mais Francis le savoure. Même s'il ne déteste pas encore Léa. Ça viendra plus tard.

Il s'engage sur la route 101 à toute vitesse. Sur le siège arrière, Hubert miaule à tue-tête, enfermé dans une cage minuscule. Il devra endurer la situation encore longtemps, puisque Francis n'a pas l'intention de s'arrêter pour dormir. Il conduira toute la nuit. Il fera bien quelques escales pour se dégourdir les jambes, pour boire un café accoudé à un vieux comptoir, pour cueillir quelques cailloux sur le bord de la route, mais sans plus.

Il aurait pu prendre un taxi jusqu'à l'aéroport local. Toutefois, il aurait dû attendre près de vingt-quatre heures avant qu'un vol décolle enfin pour Portland ou San Francisco, puis pour Montréal.

Son plan : se rendre à Eugene durant la nuit et s'embarquer le lendemain matin sur Delta Airlines pour Los Angeles, avant de changer d'avion et de passer par New York, où il attendra encore quelques heures avant de partir définitivement pour Montréal, qu'il atteindra en fin de journée.

La voiture roule vers le nord. Il aurait été plus rapide d'aller vers le sud, de traverser la frontière californienne et de bifurquer sur la route 199 juste avant d'arriver à Crescent City. Francis aurait pu faire une courte halte pour admirer les splendides Redwoods, puis passer par Grants Pass, en Oregon, où il aurait pu rejoindre l'Interstate 5 et être à Eugene en moins de quatre heures. Non.

La voiture roule vers le nord. Francis suivra la route 101 comme cela avait été prévu avec Léa. Il se rendra à Florence, où il pourra prendre la route 126 qui s'enfonce dans le continent et qui passe directement par Eugene. Ce sera plus long, il devra être attentif à toutes les courbes, aux falaises, aux touristes qui conduisent comme des pieds. Qu'à cela ne tienne, c'est la décision qu'il a prise.

Et quand il a quelque chose en tête, il ne pense plus qu'à cela.

Voilà pourquoi il ne pense probablement pas à Ariane, qui se trouve au même moment quelque part entre Ottawa et Sudbury.

Non. Il ne pense pas à Ariane.

Il pense à Léa. Il se demande pourquoi elle est partie. Où est-elle en ce moment ? Qu'est-ce qu'elle fait ? Avec qui ? Il sait qu'elle est partie, mais c'est tout ce qu'il sait.

Il se l'imagine embarquée sur un cargo transpacifique à destination de Hong Kong, où elle sera vendue comme esclave sexuelle à un riche Thaïlandais.

Pourtant, elle a été tout près de lui toute la journée.

Dans une autre chambre du même motel.

En train de faire l'amour à quelqu'un d'autre.

Un Noir.
Qui s'appelle Edward.

::

Émile prend des photos de son ami tandis que celui-ci lui parle de son travail, allongé sur le pont du petit bateau.

Nicolas Teillol se lève. Enlevant son veston noir, il découvre un chandail bleu poudre frappé du logo d'une équipe européenne de sport. Émile prend encore trois ou quatre photos de Nicolas Teillol en contre-plongée, sans grand enthousiasme.

— Je me suis fait voler mon appareil reflex par un modèle, ce matin.

— Tu travaillais ce matin ?

— Non, pas vraiment.

Son ami sourit aussitôt, ce qui fait rougir Émile. Il cache son visage derrière l'appareil et prend quelques photos de la marina. Il n'avait pas rougi ainsi depuis longtemps.

Il fait beau et l'air est chaud et le ciel est mauve et Émile est content d'être là, de pouvoir raconter cette histoire, la soirée de la vieille, en français, à un ami qui comprend sa solitude et le vertige qu'il ressent en ce moment face à l'inconnu qui se dresse devant lui et qu'il ne peut saisir.

— Toi et moi, on se ressemble, dit-il.

— Peut-être bien, après tout. En tout cas, vas-y, raconte-moi tout. Il est comment, celui-là ?

::

Parfois, une personne tout à fait inconnue s'ouvre à nous sans que nous puissions savoir pourquoi. En quelques minutes, nous connaissons tout de sa vie.

À d'autres moments, c'est plutôt le contraire. Sans comprendre pourquoi, on ressent le besoin urgent de raconter des choses tout à fait privées à quelqu'un que l'on ne connaît pas. Que l'on n'a jamais rencontré. Que l'on ne reverra jamais après cette logorrhée sporadique.

Ariane, après avoir passé plusieurs dizaines de minutes entre deux états, pas tout à fait endormie et pas tout à fait éveillée, a ressenti l'urgence de se confier, l'appel pressant de mettre en récit pour quelqu'un de partial ses angoisses du moment présent.

— Alors vous dites qu'il y a quelqu'un qui vous suit depuis Québec ?

— En fait, je ne pense pas que ce soit *quelqu'un* à proprement parler. Vous comprenez ?

La vieille femme passe une main dans ses longues boucles blanches.

— Plus ou moins.

Elle ajuste ses petites lunettes noires et penche la tête vers Ariane. Elle a quelque chose à confier.

— Mademoiselle, il y a des choses que l'on ne peut pas expliquer dans la vie.

Ariane sent vers quels chemins tend la conversation. Elle coupe aussitôt la parole à sa nouvelle amie pour rectifier l'angle discursif.

— Je ne crois pas aux fantômes.

— Rassurez-vous, moi non plus. Ce que je veux dire, continue la femme après s'être humecté les lèvres, c'est qu'il y a bien des choses que l'on ne contrôle pas. Il faut apprendre à lâcher prise.

Ariane grimace. Elle n'a surtout pas envie de parler de résilience. Elle ne sait même pas ce que c'est, en fait, la résilience. Elle sait toutefois qu'elle n'en a rien à foutre.

— C'est-à-dire ?

— C'est-à-dire qu'il faut que vous vous relaxiez. Vous m'avez l'air d'être quelqu'un d'assez hystérique, en général.

La vieille femme sourit. Peut-être choisit-elle mal son vocabulaire, mais Ariane lui pardonne d'emblée parce qu'elle ne semble avoir aucune arrière-pensée.

— Hystérique ?

— Ce que je veux dire, c'est que vous prenez tout beaucoup trop au sérieux, il me semble. Il y a quelqu'un qui vous suit ? Et puis ? C'est peut-être bien Dieu, après tout.

Elle fait une pause. Ariane ne sait trop quoi répondre. Elle ne veut pas rire, pour ne pas offenser la dame. Elle ne peut rien ajouter, parce qu'elle ne connaît pas l'avancement des recherches en ce qui concerne l'existence de Dieu. Elle a reçu une éducation plutôt athée et n'a aucune opinion sur la question.

La vieille femme pose sa main sur la cuisse d'Ariane.

Tout était dit. Il n'y avait rien à ajouter. Ariane regagne sa place en souriant à la vieille dame, qui lui a caressé la joue d'un geste maternel avant de la laisser partir.

Cette conversation n'a rien réglé, mais Ariane se sent tout de même un peu plus détendue. Quelqu'un partage désormais son angoisse. Quelqu'un sait. Ariane ouvre donc un livre. Un roman de Jane Austen, évidemment, parce que c'est tout ce qu'elle a apporté avec elle.

VI — Soir

Sudbury est une ville irréelle. Il y a assurément une fracture dans l'espace-temps qui lui permet d'exister, ou encore elle émerge d'une autre dimension que l'œil humain ne peut saisir qu'à cet endroit très précis. Elle surgit loin de tout, sise sur une colline de roc noir et entourée de poussière et d'arbrisseaux nains. En son centre se dresse un immense château d'eau qui surplombe un centre-ville artificiel. On a l'impression d'arriver au bout du monde, bien que ce soit plutôt le milieu de nulle part. Dans les quartiers résidentiels périphériques coulent des canaux emplis d'une eau orange dont l'usage est incertain. Un assez grand lac borde le centre-ville, mais on l'aperçoit à peine de l'autocar. Peut-être s'agit-il d'une ville qu'il faut prendre le temps de découvrir, mais Ariane ne peut pas le savoir, parce qu'elle ne jettera qu'un seul regard à cet endroit étrange par la fenêtre d'un véhicule qui crachote, fatigué par les sept heures de route qu'il vient d'endurer.

L'autocar s'arrête au terminus, au bas d'une côte de sable terne. Ariane descend, heureuse de pouvoir s'étirer un peu. Elle récupère le sac qu'elle a laissé dans la soute. Le conducteur et un employé en uniforme gris lancent les bagages dans toutes les directions, suivant une méthode un peu chaotique qu'ils ont toutefois l'air de comprendre.

Le stationnement est éclairé par un seul lampadaire, qui inonde le gravier et le béton du débarcadère d'une aveuglante lumière blanche. Ariane, son sac sur le dos, regarde autour d'elle. En haut de la côte, elle croit apercevoir les lointaines lumières du centre-ville. Elle n'aura pas le temps de s'y rendre, le prochain car pour Winnipeg part dans quarante-cinq minutes. Elle se demande qui a bien pu choisir un tel désert pour construire le terminus. Il n'y a aucun hôtel, aucun restaurant, pas de bar ni d'attraction intéressante à proximité. Au lieu de tout cela, l'environnement immédiat plutôt hostile accueille un magasin à grande surface spécialisé dans les meubles assez chics, et rien d'autre. Quelqu'un qui sort à peine d'un autocar n'ira pas s'acheter des meubles. Le voisinage commercial est invraisemblable.

Ariane entre dans le bâtiment du terminus. Une vaste salle d'attente se dresse devant elle, mais la surface de plancher semble toute petite en raison des dizaines d'adolescents qui dorment par terre sur leurs sacs de couchage. Soudain, comme ça, debout au milieu de toute cette foule qui parle trop fort ou qui dort, qui mange, qui marche, qui crache et qui tousse, Ariane se sent menacée. Elle perçoit de nouveau ce regard froid sur elle, le regard froid de quelqu'un qui l'observe, de quelqu'un qui se cache quelque part. Ce pourrait être n'importe qui après tout, elle n'est pas seule dans le terminus. Elle retient son souffle et se dirige vers les toilettes des dames. Elle pousse la porte et la referme aussitôt. Elle s'y adosse et laisse échapper un long soupir. Elle a froid, mais de grosses gouttes de sueur coulent dans son dos et sur son front. Une femme, debout devant le miroir, se retourne et la dévisage.

— *Are you okay, dear?* demande-t-elle.

Ariane ne sait quoi répondre. Elle se contente de lui sourire et de se diriger vers la troisième cabine. Elle a toujours fait cela, sans raison, depuis aussi longtemps qu'elle s'en souvienne. S'il n'y a pas trois cabines, elle hésite et choisit à tout coup la première parce que le chiffre un est un multiple de trois. C'est comme ça, c'est tout. Elle y entre à reculons, tout en continuant de sourire à la dame devant le miroir. Elle doit avoir l'air dérangée, mais elle s'en balance. La femme pensera ce qu'elle voudra. Ariane ferme le loquet de la cabine et enlève son sac de sur ses épaules. Elle le suspend au crochet et se retourne pour examiner l'état de la cuvette.

C'est à ce moment qu'elle comprend qu'elle n'a pas pris la bonne décision en entrant dans cette cabine.

::

Émile regarde le soleil se coucher sur la ville et les édifices s'éclairer les uns après les autres. Le vent est bon sur la marina, l'air est frais, une odeur de poisson flotte autour du bateau et se mêle à celles des restaurants des rues Georgia et Denman, à quelques mètres de là. Émile observe les passants, la plupart à vélo. Il regarde passer les chiens et les humains qu'ils tiennent en laisse. D'une oreille, il écoute le bruit des vagues contre la coque du petit voilier, il écoute les mouettes et les voitures. De l'autre, il tente de suivre le monologue qu'a entamé Nicolas Teillol à propos de son emploi et des frustrations que celui-ci engendre. Émile n'entend que quelques expressions absurdes ici et là, comme « incompatibilité avec le partenaire commercial sélectionné », « erreur de calcul » et « caractère fondamentalement intrinsèque ». Il trouve tout cela assez rigolo, surtout en raison de l'enthousiasme que met Nicolas Teillol à prononcer de telles locutions figées par le protocole et les règlements de la compagnie.

: :

Francis s'est arrêté pour faire le plein dans une petite station-service légèrement en retrait de Florence, sur la route 126. Il a déjà parcouru une bonne partie du trajet, mais le temps n'a pas passé aussi vite qu'il l'aurait souhaité. Le soir s'achève, la nuit s'installera bientôt. Francis arrivera à Eugene assez tôt le lendemain, peut-être même avant l'aurore.

Il regarde sans grand intérêt les chiffres défiler sur le compteur de la pompe à essence. Il les voit, mais son esprit est ailleurs, si bien qu'il n'a même pas conscience de ce qu'il regarde.

Puis, soudainement, il pense à Ariane. Il regarde son poing fermé, lève un doigt, puis un autre, puis un autre encore. Il finit par ouvrir sa main au complet et murmure quelque chose comme : « la semaine prochaine ». Ils avaient convenu, lors de leur échange de courriels, qu'ils se retrouveraient la semaine suivante, le vendredi à dix-huit heures, au Robson Square. Robson Square, parce qu'elle connaissait l'endroit pour s'y être déjà rendue lors d'un congrès. Elle représentait la compagnie qui l'employait à l'époque, se souvient Francis. Du moins c'est ce qu'elle lui a écrit.

Comme le rendez-vous est dans plus de cinq jours, il pense pour lui-même qu'il n'aura qu'à lui écrire un courriel le lendemain. Après tout, il sera à Montréal en début de soirée, ils conviendront alors d'un nouveau point de rencontre. Francis pourrait se rendre à Québec chez Kyle, qu'il n'a pas vu depuis plusieurs années. Bien entendu, celui-ci en profitera pour lui faire de grands sermons sur la vie qu'il mène, sur son instabilité, il lui posera un tas de questions sur Léa, il lui demandera ce qu'il compte faire de sa vie maintenant qu'ils sont revenus en Amérique, il insistera sur le fait qu'il aimerait bien qu'ils s'installent au Québec, et pourquoi pas *à* Québec, puisque les Européens aiment bien cette ville, Léa ne se sentira pas trop dépaysée, mais c'est vrai, elle a disparu, pauvre petit frère, quels sont tes plans maintenant que tu te retrouves seul ?

Non. Ce n'est pas une très bonne idée. Francis demandera à Ariane de venir le rejoindre à Montréal. Il logera dans un hôtel ou une auberge quelque part en ville. Il fera les boutiques d'occasion sur Saint-Denis, ça fait longtemps. Il achètera quelques disques et un lecteur portatif. Il s'installera dans un parc pour écouter de la musique. Il aura certainement une idée, à ce moment-là. Sinon, il partira à la recherche de Mehdi. Il se demande d'ailleurs si celui-ci est retourné à Montréal après être disparu à Grenade, comme ça, un matin. Mehdi était fâché, visiblement, alors ce n'est peut-être pas une bonne idée, ça non plus.

Sinon, Francis ne voit pas sur qui il pourrait s'appuyer. Putain, pense-t-il, je n'ai vraiment aucun ami en ce monde. Il devra essayer de comprendre tout seul pourquoi Léa a disparue, où elle se trouve, avec qui.

Un déclic du côté de la pompe à essence le force à mettre de côté ses réflexions, pour le moment. Il vérifie que son portefeuille est bien dans sa poche arrière et se rend à l'intérieur pour payer.

— *Fifty, please.*

Le jeune homme au comptoir a l'air endormi. Francis lui tend trois billets de vingt dollars et attend la monnaie. D'un geste nonchalant, le commis lui remet un billet de dix dollars. Il ne le remercie pas et se retourne pour continuer à inventorier les paquets de cigarettes sur le mur derrière lui. Francis jette un coup d'œil aux grands titres des journaux près de la porte. Une inondation a fait plusieurs victimes en Indonésie. Georges W. Bush a dit quelque chose d'imbécile. Des soldats états-uniens sont morts au combat, quelque part au Moyen-Orient ou en Asie centrale. Rien de neuf. Toujours les mêmes nouvelles.

Francis démarre et, au lieu de reprendre la route tout de suite, il décide de ranger la voiture dans le stationnement, en retrait des pompes. Il se retourne et ouvre la porte de la cage sur le siège arrière. Hubert roucoule et s'empresse de sortir. Il s'étire longuement, la gueule ouverte, le dos rond. Francis lui tend des croquettes, que le chat dévore d'une seule bouchée. Il explore un peu le véhicule et décide de se coucher en boule sur le siège du passager, à l'avant. Francis le caresse quelques minutes, puis boucle sa ceinture et s'engage sur la route 126 en direction d'Eugene.

Exactement comme il l'avait prévu.

::

Nicolas Teillol se laisse tomber sur un banc et pose ses pieds sur la rambarde. Il regarde Émile et lui sourit. Puis il détourne les yeux vers la baie. Émile est debout de l'autre côté du bateau. Il tient son petit appareil photo dans une main, la courroie enroulée autour du poignet. Il prend plusieurs photos sans même regarder l'écran pour cadrer son sujet. De toute façon, il n'a pas vraiment de sujet. Il prend souvent des photos comme ça, un peu n'importe comment. Ça peut toujours servir. Dans son studio, il a des dizaines de disques et de cartes mémoire remplis de photos prises au hasard.

— Qu'est-ce que tu vas faire, maintenant? demande Nicolas Teillol.

Émile ne répond pas tout de suite. Nicolas Teillol ronge l'ongle de son pouce, le front plissé, l'air soucieux. Ce n'est pourtant pas lui qui s'est fait voler son appareil photo préféré, celui qu'il a payé près de six mille dollars, par un gars presque inconnu avec qui il vient tout juste de coucher. Émile prend plusieurs photos de son ami dans cette position. Le soleil disparaît à l'ouest au-delà des montagnes, de l'autre côté de la baie. L'eau est mauve, presque noire. Autour, les ponts des voiliers sont illuminés par des torches ou des lampes chinoises. Plusieurs hublots sont allumés et on peut deviner des couples qui mangent. Des personnes âgées, dans la plupart des cas. Nicolas Teillol est peut-être l'unique propriétaire d'un voilier qui a moins de trente-cinq ans et pas de parents riches. Il se l'est procuré à son arrivée au Canada, de façon tout à fait légale. Une vieille dame voulait s'en débarrasser, il appartenait à son mari qui venait de mourir noyé. Elle le lui avait vendu à un prix ridicule.

Émile cesse de prendre des photos et observe Nicolas Teillol. Son visage n'a rien de particulier, seulement il ne peut s'empêcher de le regarder. Émile est fasciné par la douce couleur beige de sa peau, un peu plus rouge sur le nez et le front. Il a toujours aimé les barbes discrètes, vieilles de quelques jours seulement, et les mâchoires carrées. Les yeux de Nicolas Teillol sont d'un brun profond qui aspire la lumière et la transforme en pigments complexes très foncés, mais à travers lesquels on devine une touche de bleu.

Il détourne le regard. Bien sûr, il était sur le point de s'imaginer Nicolas Teillol nu, ou en sous-vêtements. Il se souvient très bien de son torse musclé et du galbe de ses fesses. De ses mollets fermes.

— Je ne sais pas ce que je vais faire. Je vais attendre qu'il me rappelle, j'imagine, dit-il.

— Pourquoi penses-tu qu'il est parti avec ton appareil ?

— Je n'en ai aucune idée. Pour le revendre, peut-être ? J'aimerais au moins récupérer la carte mémoire, je pense que j'avais de super bonnes photos dessus.

Émile monte les marches du voilier et s'engage sur le quai de bois qui mène à la promenade pavée. Il éclate de rire. Étrangement, il n'y a personne autour de lui. Il est seul sur le trottoir, dominé par tous ces nouveaux édifices qui abritent des condominiums de luxe. Il envoie la main à son ami et s'éloigne vers Gastown.

L'air frais de Vancouver lui caresse le visage et Émile ferme les yeux.

Il se revoit sur sa petite île, perdu dans les hautes herbes, à boire du mauvais vin à même la bouteille. Il revoit aussi son vieux manteau de cuir et le petit air féroce qu'il se donnait. Il revoit la pluie violente et les vents déchaînés qu'il a fuis il y a déjà dix ans. Huit ans, peut-être ? Ou est-ce plutôt sept ?

Émile continue de rire. Il sait, en ce moment, que le monde est sur le point de basculer.

Son monde, du moins.

VII — Nuit

Les nuages ne s'étaient pas annoncés. Personne n'avait deviné que la pluie allait s'abattre si vite sur la ville. La tempête est descendue des montagnes à toute vitesse et a apporté des pluies dignes de novembre. Émile court sur les trottoirs inondés de West Hastings Street. Il aurait pu prendre le tramway pour rentrer chez lui, mais il a toujours aimé courir sous la pluie. Il est fasciné par l'eau, probablement parce que c'est elle qui l'a bercé quand il était plus jeune. Bien qu'il n'y pense presque plus, il se dit encore parfois que, s'il avait à choisir sa mort, il opterait pour la noyade.

Pour le moment, Émile court et pense à la nuit de la veille. Il a envie d'une tasse de thé, puisque, cela est bien connu, le thé règle tous les problèmes du monde et aide à reprendre contact avec la réalité. Surtout après des événements assez intenses.

Il entre dans Gastown par East Hastings et s'engage sur Dunlevy Avenue. Il décide de couper par Oppenheimer Park pour profiter de la pluie plus longtemps. Il n'y a évidemment aucun enfant dans les modules de plastique. Il est beaucoup trop tard et il pleut, de surcroît. Par contre, deux adolescents s'attardent près des dépendances du parc, probablement pour quelque transaction de cocaïne ou de crack. Peut-être Émile est-il plein de préjugés, peut-être en effet s'agit-il plutôt de deux adolescents romantiques, comme il l'a lui-même été à une certaine époque. Peut-être sont-ils en train de se tenir par la main et de se déclarer leur amour. Peu importe, puisque Émile court toujours et qu'ils disparaissent rapidement de son champ de vision. Il tourne à gauche sur Jackson Avenue, puis à droite dans Alexander Street. La rue sent bon les fleurs mouillées.

La lumière orange des lampadaires se reflète dans les flaques d'eau et Émile sourit. Il cesse de courir quand il aperçoit Pei Wu devant l'entrée de son immeuble, réfugié sous la marquise rayée. Et, c'est plus fort que lui, il ne peut s'empêcher de lui toucher le bras, puis de l'embrasser.

::

L'inconnu presse sa main contre la bouche d'Ariane. Elle n'ose pas se débattre ni le mordre. Il lui chuchote quelque chose à l'oreille, mais elle n'entend plus que les battements de son cœur, tout à fait hystériques, qui sonnent maintenant comme le violon sec et nerveux que l'on entend toujours dans les films d'horreur alors que le personnage court pour sauver sa vie dans le labyrinthe obscur des petites ruelles d'une ville inhospitalière.

Ariane sent la lame froide d'un couteau se presser contre sa gorge. Elle tente de se convaincre qu'elle est en train de rêver, qu'il ne peut pas en être autrement, parce que ces choses-là n'arrivent que dans les séries à la télévision, pas dans la vraie vie, surtout pas dans les toilettes du terminus Greyhound de Sudbury, cela n'a aucun sens, elle se réveillera dans quelques minutes, secouée par les freins de l'autocar qui s'arrêtera à Winnipeg. Elle sent l'odeur rance de son assaillant et son souffle chaud sur son oreille droite alors qu'il lui murmure de rester tranquille et de ne pas bouger. Elle a pleinement conscience des sueurs froides qui coulent dans son dos et mouillent son chandail, qui lui colle à la peau.

Elle commence à penser qu'elle pourrait combattre, donner un coup de pied dans les couilles de son agresseur, crier au meurtre, le plus fort possible, pour que quelqu'un lui vienne en aide. Elle n'aurait pas à crier bien fort puisque la dame qui se maquillait tout à l'heure n'est pas encore sortie. Elle est là, de l'autre côté de la porte, à quelques mètres à peine. Il doit bien y avoir quelqu'un qui est responsable de la sécurité dans le terminus, quelqu'un qui sait comment traiter un cas comme celui-ci, par la force ou par la négociation, peu lui importe, pourvu qu'elle s'en sorte indemne.

Puis elle est foudroyée par une prise de conscience. Elle ne dort pas, elle le sait, ce qui lui arrive est bien réel et elle comprend qu'elle ne fera pas le poids face à quelqu'un d'armé, qu'il vaut mieux qu'elle obéisse aux ordres qu'on lui donne plutôt que d'essayer de se prendre pour Jodie Foster et de faire la brave. Il suffirait d'un seul mouvement pour qu'on lui tranche la gorge, qu'elle s'étouffe avec son propre sang, qu'elle meure en quelques secondes. Et elle ne peut pas mourir, elle ne veut pas mourir, elle doit vivre encore longtemps pour connaître le bonheur, se marier, avoir des enfants, réussir sa carrière, partir en voyage encore, d'ailleurs elle avait eu l'idée d'aller traverser la Corse à pied, elle voulait en parler à Francis, voilà une autre excellente raison de rester en vie, ils se sont donné rendez-vous à Vancouver, elle ne peut pas manquer cette chance unique de lui dire qu'elle a enfin compris qu'elle était amoureuse de lui, oui, bien sûr, dix ans, c'est un long moment pour se faire une idée, mais c'est le temps dont elle avait besoin pour comprendre que c'est lui qu'elle aime, elle le sait maintenant, elle n'a plus aucun doute et elle est prête à attendre toute sa vie s'il le faut parce que sinon tout cela n'a aucun sens, pourquoi exister si c'est pour mourir toute seule, égorgée par un psychopathe inconnu dans des toilettes anonymes ?

Grâce à cette prise de conscience, Ariane comprend aussi qu'elle n'était pas folle, que quelqu'un la suivait depuis longtemps, elle n'a pas imaginé tout cela, elle n'était pas victime de sa fatigue, elle était bel et bien traquée par quelqu'un d'assez doué pour passer inaperçu autant dans son appartement que dans un autocar bondé.

Elle déglutit. Ça lui fait mal, la lame appuie fort contre sa gorge. Elle peine à avaler sa salive. L'inconnu la serre contre lui.

Elle entend un robinet couler, puis quelqu'un s'essuyer les mains sur un bout de papier rugueux. Des pas s'éloignent, puis la porte se referme derrière la femme qui se maquillait. Ariane est maintenant seule avec l'étranger qui la tient prisonnière.

Elle attend.

Elle espère que ça ne fera pas trop mal, elle espère que ce sera rapide et qu'elle ne sentira rien.

: :

Pei Wu lui tend son appareil photo.

— Je ne sais pas ce qui m'a pris. Au début, je me suis dit que c'était une bonne blague. C'était impulsif, je pense.

— Ça va, lui répond Émile. Je suis content que tu sois venu me le rapporter.

Émile inspecte l'appareil, par réflexe plus que par suspicion. Évidemment, toutes les pièces sont là, la carte mémoire est toujours en place, les piles aussi.

— J'ai eu ton message sur ma boîte vocale.

Émile ne dit rien.

— Tu es toujours aussi professionnel au téléphone ?

— Rarement.

Le silence s'installe entre les deux hommes. Pei Wu se retourne, les mains dans les poches, et jette un coup d'œil aux photographies sur les murs. Émile prend une dernière gorgée. L'alcool lui chauffe la gorge. Il pose le verre vide sur la table de la cuisine et se lève.

— Tu as quelques minutes pour prendre une photo ou deux ?

— Bien sûr.

Pei Wu libère ses mains de ses poches et commence à détacher les boutons de sa chemise. Émile intervient.

— Tu peux garder tes vêtements. Je vais faire des photos plutôt génériques.

— Non, ça va. J'ai l'intention de les enlever, de toute façon.

Dehors, la pluie continue de tomber.

::

Francis n'arrive pas à dormir. Ses pieds sont gelés parce qu'il doit les tenir plus haut que le reste de son corps, collés contre la fenêtre embuée du véhicule. Il a stationné la voiture à l'écart, assez loin de l'entrée principale de l'aéroport. Il s'est enveloppé dans un grand chandail, mais ce n'est pas suffisant pour le réchauffer, il frissonne encore. Hubert, lui, dort depuis de longues minutes. Il s'est vite épuisé à force de miauler pour sortir. Il dort en boule sur le siège du conducteur.

Francis se hisse en position assise. Il ouvre son sac et fouille quelques minutes. Il ne sait pas ce qu'il cherche, seulement qu'il aimerait bien trouver quelque chose.

Il ne sait plus comment tuer le temps. Il sort de la voiture et marche un peu, arrive assez vite aux limites du stationnement, puis fait demi-tour. Il pleut. Ses cheveux collent à son front, à son cou. Il a froid, ses souliers sont détrempés. Il a envie de fumer une cigarette, de s'étendre sur l'asphalte mouillé, de brailler comme un débile et d'écouter une horrible musique mélancolique à tue-tête. Mais il est dans le stationnement d'un aéroport et on ne peut pas toujours faire ce qu'on veut au moment où on en a envie.

Il pense à Léa. Il avait l'impression d'être enfin amoureux, d'aimer quelqu'un comme cela arrive dans les films. Bien sûr, il doutait parfois, comme tout le monde, il se demandait s'il n'était pas mieux lorsqu'il était seul et déprimé, mais il en arrivait toujours à la conclusion qu'il avait trouvé quelqu'un avec qui il se sentait bien, quelqu'un en qui il pouvait avoir confiance, quelqu'un d'intéressant qui avait quelque chose à dire, qui avait un passé, un présent et un avenir. Bien sûr, il y avait eu Ariane avant. Ce n'est pas pour rien qu'il lui a donné rendez-vous dès qu'il est revenu en Amérique. Mais avec Ariane, ce n'était pas pareil, c'est d'elle qu'émanait le doute, c'est elle qui refusait de s'engager, alors que d'habitude c'est lui qui met les freins, qui se sauve, qui a peur. Et c'est ce qu'il avait fait un beau matin, à Barcelone, découragé par l'hésitation d'Ariane…

Maintenant, la peur est revenue. Sous une autre forme, bien entendu, parce que ce qu'il craint, désormais, c'est de ne jamais trouver, d'errer toute sa vie. Il se dit qu'il doit être en train de payer pour sa sauvagerie d'antan, alors qu'il repoussait tout le monde parce qu'il se trouvait trop bien pour eux, parce qu'il refusait de donner à quiconque la chance de le connaître davantage.

Francis pense à Léa. S'il ferme les yeux, il peut la voir devant lui dans la pluie, entourée de brouillard, nue comme une sorte d'ange, c'est cliché, oui, Francis en est conscient, mais en ce moment, quand il pense à Léa, c'est comme ça qu'il la voit, dans toute sa splendeur, parce qu'elle est belle et parce qu'il aime la caresser, embrasser sa peau salée, passer ses doigts dans ses longs cheveux bruns, plonger dans ses yeux verts.

Oui, Francis écouterait une musique sauvage et il hurlerait. Francis aurait mal à la gorge et il aimerait ça. Il n'a pas l'habitude, mais il la prendrait assez vite, il s'adapterait facilement au malheur, parce qu'il a passé sa vie à le contempler de près, à s'en échapper et à le fuir.

Il n'avait peut-être pas de grandes ambitions, Francis, mais il voulait être heureux avec Léa. Lui faire à manger. S'occuper du ménage pour qu'elle puisse répéter plus longtemps pour ses auditions. Être homme au foyer, pourquoi pas, après tout il a déjà épuisé ses options, il ne sait toujours pas ce qu'il veut faire de sa vie. Il voulait pourtant essayer quelque chose de nouveau, la vie de couple, la vie tranquille, dormir tous les soirs dans le même lit, avoir un chat, tiens, pourquoi pas ? D'ailleurs, Hubert est revenu, ça tombe bien, mais voilà une autre histoire qu'il ne comprendra probablement jamais, sa réapparition est invraisemblable et Francis aimerait bien qu'un narrateur surgisse pour faire un peu de ménage dans cette suite d'événements et lui expliquer ce qui se passe au juste avec sa vie qui s'en va à la dérive. Mais il doit se débrouiller tout seul et ça le fait chier, il n'en a pas envie, il veut que sa mère soit en vie, il veut qu'elle s'occupe de lui, qu'elle lui parle, qu'elle lui raconte sa vie à elle en lui disant qu'il y a toujours un malheur plus grand que le nôtre, il veut qu'elle passe une main dans ses cheveux et qu'elle lui mette une couverture de laine sur les épaules — toutes ces choses qu'il n'a jamais connues parce qu'elle est morte trop tôt —, il veut que quelqu'un lui dise que tout va s'arranger, il veut brailler en paix tandis que quelqu'un lui caresse le dos.

Il s'imagine alors qu'il est devant Léa, qu'il peut lui demander de lui expliquer pourquoi et où elle est partie, avec qui. Les seuls mots qu'il parvient à prononcer n'auront pas de sens pour elle, mais feront l'effet d'une révélation pour lui.

— Un jour, j'écrirai un livre tellement beau qu'il te crèvera les yeux.

Francis, sans s'en rendre compte, a dit ces mots à voix haute et entend maintenant leur écho mouillé revenir vers lui.

Léa les entend, ces mots humides. Cachée pas très loin, elle se retourne, soupire et entre dans une voiture rouge qui démarre aussitôt. L'automobile quitte l'aire de stationnement en passant devant Francis, qui reconnaît la couleur et le modèle. Il s'écarte pour ne pas se faire renverser et court pour tenter de la rattraper. La voiture avance trop vite. La fenêtre du passager s'ouvre et la main de Léa émerge pour lancer un bout de papier d'un geste nonchalant. Francis arrête de courir et se penche pour le ramasser. Sur le papier déjà mouillé, il n'y a que quelques mots, écrits à la hâte.

You NEVER had a girlfriend.

Il regarde la voiture disparaître et déchire le papier en hurlant. Il lance les miettes dans les airs et se laisse tomber sur le sol. Il boit la pluie et ferme les yeux.

: :

Il lui a ordonné de marcher normalement, de ne parler à personne et de sortir du terminus. Elle s'est assise à l'avant de la voiture, à côté de lui, et ils ont quitté la ville.

Son sang rouge et chaud coule de sa gorge tranchée sur ses vêtements et éclabousse le visage de son agresseur.

Ariane ferme les yeux. Elle ne sait pas où elle se trouve. Elle ne sent plus rien. Elle a envie de dormir.

On retrouvera son squelette plusieurs années plus tard, enterré dans la forêt, derrière une scierie en retrait de la ville.

TROISIÈME PARTIE
Le grand atlas du Canada et du monde

Quand un lion s'approche de vous ou quand un requin veut vous tuer, vous êtes naturellement en danger de mort. Nous avons côtoyé ces dangers pendant des millions d'années. La ligne droite est un danger créé par l'homme. Il y a tant de lignes, des millions de lignes, mais une seule est mortelle, et c'est la ligne droite tracée avec la règle. Le danger qui émane de la ligne droite n'est pas comparable au danger qui émane des lignes organiques que font par exemple les serpents. La ligne droite est étrangère à la nature de l'homme, de la vie, de toute création.

— Friedensreich Hundertwasser

I — Montréal

Un jour, la chose devint inévitable, il dut trouver un emploi et un appartement. Il avait encore un peu d'argent, mais il lui fallait prendre une décision et rester semblait plus économique et plus pratique que poursuivre l'errance. Il y avait longtemps qu'il s'était installé quelque part, de toute façon. Il rendit une courte visite à l'Université du Québec à Montréal et consulta le babillard de logements hors campus. L'automne était déjà largement entamé. Francis avait erré d'une auberge à l'autre tout l'été après avoir placé Hubert dans un refuge pour animaux pour une durée indéterminée, jusqu'à ce qu'il prenne une décision. Il avait fait le tour des festivals, s'était assis sur tous les bancs de tous les parcs, avait arpenté toutes les rues du Quartier latin et du centre-ville. Il avait croisé tous les passants qu'il était possible de croiser et bu du thé dans tous les cafés qui en servaient. Pourquoi aller ailleurs, maintenant qu'il connaissait la ville mieux que jamais ?

Chacun pense faire un bon coup en imprimant son annonce sur du papier fluo. Chacun pense attirer ainsi l'attention en premier et louer sa chambre, sous-louer son appartement, trouver un colocataire qui aime les chats et qui ne fume pas, une femme de préférence. Pourtant, c'est un tout petit papier blanc sans artifice qui intrigua Francis. Chambre à louer, meublée, 500 $ par mois tout inclus. Coin Logan et Fullum.

La rue Fullum lui avait toujours paru exotique. Pour aucune raison d'ailleurs. Son nom n'avait rien de comparable avec celui de l'avenue Old Orchard dans le quartier Notre-Dame-de-Grâce, par exemple, bien qu'Old Orchard ne soit pas ce qu'on peut appeler une destination exotique. Francis arracha le numéro de téléphone et appela de la cabine la plus proche. Il échangea avec le propriétaire des lieux quelques formalités, puis conclut l'appel par un rendez-vous prévu le soir même, vers dix-neuf heures. Heure tout à fait inhabituelle pour visiter un appartement, mais Francis n'avait cure de connaître de quel côté de l'appartement le soleil se levait le matin. Il lui suffisait de savoir qu'il ne s'établissait pas sur le Plateau Mont-Royal ou dans la Petite Italie, mais qu'il pouvait quand même se rendre à pied au parc LaFontaine, pour être tout à fait heureux.

Francis avait été surpris par la propreté des lieux et l'attitude du propriétaire. L'appartement était situé au premier étage et on y accédait en montant quelques marches. Les pièces étaient toutes très grandes. Les fenêtres du salon et de la chambre libre donnaient sur la rue, tandis que celles de la cuisine, de la salle de bain et de l'autre chambre regardaient la ruelle et le parc derrière. Jeremy Blue avait parlé avec Francis durant presque deux heures avant de se rendre compte qu'il venait pratiquement de lui raconter toute sa vie.

Francis et lui avaient rigolé et s'étaient alors installés pour poursuivre la soirée à la table de la cuisine. Ils avaient signé un bail et bu de la « vodka-israëlienne-pas-buvable-mais-pas-chère-non-plus ».

— Quand est-ce que je peux m'installer ? avait demandé Francis.

— Tout de suite.

Jeremy avait ri, puis il avait ajouté que Francis pouvait venir quand il voulait, il lui donnerait les clés et il serait libre de déménager ses trucs n'importe quand.

— Je n'ai pas grand-chose, en réalité. Une boîte, c'est pas mal tout. J'ai un chat, aussi, que j'ai laissé dans un refuge au début de l'été.

— Génial, j'aime bien les chats !

Des sirènes retentissaient au loin. Quelques filles marchaient en se tenant par le bras et en serrant leurs sacs contre leurs côtes. Une voiture quittait le stationnement au coin de la rue. Un homme passa à vélo. Francis se promenait dans la nuit fraîche. Une bourrasque de vent arracha quelques feuilles aux grands arbres.

Alors qu'il traversait le Village, il se rappela avec une certaine tristesse la première fois qu'il avait arpenté les rues de la ville. C'était il y a … quinze ans. Quinze ans, oui. Il n'avait alors que dix-sept ans et tout lui semblait neuf, tout était si beau, si grand, si merveilleux. Il avait bien sûr eu le temps de se rendre compte, en quinze ans, que tout n'était pas toujours parfait. Mais pour l'instant, même si tout n'était pas parfait, il sentait qu'il prenait la bonne décision en s'installant. L'été avait été long et s'était enfin achevé.

L'hiver arriverait bien assez vite et il pourrait en profiter pleinement pour faire le point, une bonne fois pour toutes, pour prendre le temps de rêver pour lui-même et décider de ce dont il avait envie, chose qu'il n'avait pas faite depuis qu'il avait remis les pieds à Paris, cinq ans plus tôt, et qu'il s'était lié avec Léa, qui avait des rêves pour eux deux.

Ce serait parfait, à bien y penser.

: :

— Je vais finir ma maîtrise. En fait, je vais *recommencer*, plutôt, parce que ça fait vraiment trop longtemps que j'ai abandonné. Mais il faut que je finisse quelque chose, sinon ma vie n'aura jamais aucun sens.

— Comment, ta vie n'aura aucun sens ? demanda Jeremy. Tu ne viens pas de te trouver du travail dans une librairie ?

Francis ne répondit pas tout de suite. Il sourit, puis concentra son regard sur le contenu du chaudron qu'il agitait avec une cuillère de bois. Les pâtes étaient presque prêtes, il ne restait qu'à attendre une ou deux minutes de plus avant de les égoutter.

Jeremy prit une gorgée de vin rouge et serra les dents.

— Je ne sais pas à quel point vendre des livres va m'apporter une certaine forme d'accomplissement personnel.

— Quel genre d'accomplissement tu cherches ? demanda Jeremy.

— Je ne sais pas... je veux avoir l'impression d'avoir réussi quelque chose, d'avoir accompli certains trucs avant de mourir.

Jeremy éclata de rire.

— Je sais ! Je manque de synonymes pour dire plusieurs fois la même chose, ajouta Francis.

Il éteignit le serpentin et égoutta les pâtes. Jeremy râpa le fromage tandis que Bill Evans et son trio entamaient le dernier mouvement de *Autumn Leaves*, celui juste après l'improvisation de la contrebasse et du piano. Il y eut un bruit sourd dehors et Francis regarda par la fenêtre. Hubert venait de faire tomber le couvercle de métal de la grosse poubelle. Si ç'avait été n'importe quel chat, l'image aurait eu un petit quelque chose des films glauques en noir et blanc. Mais comme c'était Hubert, l'image restait celle d'un vieux chat qui fait tomber le couvercle d'une poubelle.

— Tu avais commencé à McGill, c'est ça ?

— Oui, mais je pense que je vais m'inscrire à l'UQAM, plutôt. Je pourrai y aller à pied, ça me fera prendre l'air un peu. Enfin, on verra. Je vais attendre en janvier, parce qu'il est trop tard pour tout de suite. En attendant, je vais vendre des livres de psycho pop et des romans policiers à temps plein pendant quatre mois.

— Ça ne doit pas être si pire, quand même !

— Non, je sais. J'exagère. Un peu.

Ils mangèrent dehors parce que le vent était bon. Il pleuvait un peu, mais ils étaient protégés par le petit toit de tôle. Ils avaient approché la chaîne stéréo de la fenêtre et mis en boucle la pièce *When I Fall In Love*, parce que c'était la préférée de Jeremy. En plus, disait-il, elle s'adapte si bien au moment présent qu'on ne se rend pas compte que c'est sans cesse la même chose qui joue, quand on la met plusieurs fois de suite. Elle sait se moduler pour convenir à toutes les situations, encore plus que n'importe quelle pièce de jazz. Enfin, selon lui.

Francis parla beaucoup. Parce qu'il voulait s'assurer que sa décision était la bonne, celle qu'il lui fallait prendre. Il se disait qu'en la verbalisant, qu'en la partageant avec d'autres, elle deviendrait toujours plus vraie, plus concrète. Francis avait besoin de certitudes. Jeremy écoutait avec attention et posa quelques questions.

— C'est vraiment pour moi que je le fais, je n'ai pas de but dans la vie… Pas question que je retourne sur une île enseigner le français. Non, ce n'était absolument pas pour moi, je me sentais trop impuissant. Je n'ai pas envie d'écrire de roman ou de fiction non plus. Mes carnets me suffisent, et personne ne veut lire ce que j'écris, de toute façon. Et la recherche, c'est trop intense à mon goût.

— Tu dois quand même avoir une petite idée de ce que tu aimerais faire ? demanda Jeremy.

— Pas trop, non. Et ça ne me dérange pas.

Francis avala une bouchée.

— T'en penses quoi, toi ?

— Euh… répondit son colocataire. J'en pense que tu as raison de ne pas trop penser à plus tard. Faire les choses dans l'ordre me semble être une idée géniale. Ça évite de paniquer à chaque petit détour.

Francis regarda l'arbre le plus près se balancer et perdre les quelques feuilles qu'il lui restait. Puis il soupira.

— J'ai une amie à qui j'avais donné rendez-vous à Vancouver juste avant de revenir à Montréal. J'ai raté notre rencontre, mais je lui ai écrit un courriel quelques jours avant pour lui dire que je ne pourrais pas être là. Quand je suis arrivé ici, je lui ai écrit plusieurs fois et elle ne m'a jamais répondu. C'est con, je ne sais pas pourquoi je pense à ça maintenant, mais je suis sûr qu'elle est fâchée contre moi et ça me fait chier.

Jeremy versa le reste de la bouteille de vin dans le verre de Francis. Il ne répondit pas, parce qu'il ne savait pas quoi dire et parce qu'il sentait que son colocataire n'avait peut-être pas fini de parler. Ce qui s'avéra tout à fait juste, car Francis reprit, quelques secondes à peine après s'être arrêté.

— Évidemment, je comprends qu'elle puisse être fâchée si elle s'est rendue jusqu'à Vancouver pour se faire poser un lapin. Mais il me semble que j'avais d'assez bonnes raisons de manquer le rendez-vous et je pensais qu'elle aurait compris. Je ne me souviens pas de l'avoir déjà vue se fâcher. Il me semble qu'elle aurait dû prendre ça à la légère et en rire. Ça fait longtemps que je ne l'ai pas vue, à vrai dire. Sept ans, peut-être…

— Je ne pense pas qu'il y ait grand-chose que tu puisses faire, répondit Jeremy. Quand elle voudra te contacter, elle le fera, à mon avis.

Francis lui sourit, de façon un peu malhonnête parce qu'il n'avait pas envie de sourire. Il but d'une gorgée le reste de son verre de vin et soupira en se levant pour ramasser les assiettes.

II — Québec

Francis cogna à la porte. Il se tenait sous le porche, trempé, les cheveux collés sur le front, les vêtements imbibés d'eau, lorsque son frère ouvrit enfin.

— J'ai manqué l'autobus que tu m'avais indiqué, alors j'en ai pris un autre et j'ai dû marcher.

Kyle le pria d'entrer tout de suite et courut à la salle de bain chercher une serviette pour qu'il s'essuie.

— Tu veux te changer ? J'ai peut-être quelque chose qui pourrait te faire.

— Non, ça va, merci.

Kyle le regarda se sécher. Il souriait en gardant le silence. Francis non plus ne disait rien. Il observait les murs, les meubles, la maison qu'il découvrait pour la première fois. Il sentit tout de suite le fantôme de sa grand-mère planer sur eux. Les murs étaient décorés des photos, des toiles et des cadres qui ornaient ceux de la maison où ils avaient grandi. Kyle était assis sur la chaise de sa grand-mère, Francis sur son divan. Presque tout l'ameublement était identique. Il fallait que ce soit le même, sinon comment expliquer que son frère ait pu reconstituer de manière aussi parfaite l'intérieur où ils avaient passé leur enfance ?

Kyle répondit à la question que Francis allait lui poser avant même qu'il n'ouvre la bouche.

— Je sais. J'ai réussi à récupérer ses meubles il y a quelques années. Tu te souviens de celui qui avait tout acheté lors de la vente de succession ?

Francis ne se souvenait pas de cet homme. Il fit non de la tête. Kyle poursuivait de toute façon.

— Il travaille avec moi. Tu t'en souviens, il a une grosse barbe et tu as dit une fois qu'il te faisait peur.

— Non, je ne m'en rappelle pas.

Kyle se leva et se dirigea vers la cuisine pour se servir quelque chose à boire. Il invita Francis à le suivre. Celui-ci obéit.

— Il avait meublé un chalet ou une maison de campagne avec les choses de grand-maman. Quand il a vendu pour acheter un condo au mont Sainte-Anne pour sa fille, il m'a demandé si je voulais lui racheter tout le kit. Sa fille n'en voulait pas, elle aimait mieux meubler en neuf, chez Ikea, semble-t-il. Ça a dû lui coûter un prix de fou, mais moi je m'en suis tiré pas mal bien. Il a été gentil de venir m'en parler, il aurait pu tout vendre à l'encan, ça lui aurait rapporté davantage. Tu veux un verre de vin ?

Francis accepta.

— Tu es venu en train ?

— Non. Le frère de mon colocataire allait passer la fin de semaine à Chicoutimi, alors je suis monté avec lui et il m'a déposé à la place Jacques-Cartier juste à temps pour que je manque l'autobus pour venir ici !

— Tu aurais pu m'appeler, je serais allé te chercher.

— Bah. J'ai demandé à une dame qui m'a expliqué que je pouvais arriver quand même si je prenais un autre trajet qui s'arrêtait au terminus Les Saules. J'ai marché de là jusqu'ici, ça ne m'a même pas pris vingt minutes.

Kyle s'étouffa presque avec une gorgée de vin.

— Tu as marché du terminus Les Saules jusqu'ici ? T'es cinglé ou quoi ? T'aurais pu attraper un rhume, avec le temps qu'il fait ! Pourquoi tu ne m'as pas appelé ?

Francis tenta de répondre quelque chose. Toutefois, il n'eut pas même le temps d'ouvrir la bouche que Kyle poursuivait.

— Tu veux encore faire l'indépendant et me montrer que ta vie est bien meilleure que la mienne ? C'est pour ça que tu t'es décidé à venir me voir, c'est ça ?

Francis garda le silence un moment, puis répondit à son frère, tout en essayant de rester calme.

— C'est pas fini, ça, encore ? On en était là quand j'ai déménagé après que grand-maman soit morte. Ça fait quinze ans, Kyle ! Quinze ans. J'aimerais ça qu'on passe à autre chose.

— Tu voudrais passer à autre chose ? demanda Kyle avec sarcasme. Je n'ai pas de problème avec cette idée-là. Pas du tout.

Il se dirigea vers la salle à manger en emportant un bol de salade avec lui.

— Viens manger, on va passer à autre chose.

Francis soupira. Visiblement, son frère était furieux. Il le suivit quand même et prit place à la petite table ronde. Il passa une main sur la nappe. Pas un pli. Il sourit. Son frère n'avait pas changé. C'était donc normal qu'il soit toujours dans le même état d'esprit.

Il le regarda en souriant dans l'espoir qu'il se calme et qu'ils puissent passer une soirée agréable.

Kyle l'entendait tout autrement. Il plissa les yeux et les coins de sa bouche se relevèrent en un petit rictus sadique.

— Léa ne pouvait pas venir avec toi ?

Kyle savait. Francis le lui avait dit. Il lui avait dit qu'ils n'étaient plus ensemble, sans toutefois lui expliquer qu'elle s'était volatilisée dans un motel du sud de l'Oregon. Mais il le savait.

: :

— J'ai reçu ça par la poste. Je ne sais plus quand, en fait.

Kyle sortit un bout de papier de la boîte qu'ils dépouillaient ensemble. Francis poussa un soupir et pencha la tête vers l'arrière.

— Qu'est-ce qu'il y a ? demanda Kyle. Est-ce que tu sais qui m'a envoyé ça ?

Francis se leva et arpenta le salon. Il ne se sentait pas la force de lever les genoux pour avancer et ses pieds frottaient sur le tapis. Il se rendit à la grande fenêtre et souleva le rideau. Dehors, il pleuvait à torrents. Les arbustes nus ployaient sous le poids de l'eau qui leur tombait dessus.

— Quoi ? Tu sais quelque chose ?

— Est-ce qu'on est encore à Québec ici ou est-ce que c'est une banlieue ?

— On est à L'Ancienne-Lorette, c'est une ville défusionnée. Les maisons sont moins chères ici. Mais répondsmoi, Francis. Est-ce que tu sais qui m'a envoyé cette lettre-là et qu'est-ce que ça veut dire ?

— Je ne sais pas qui te l'a envoyée et je ne sais pas ce que ça veut dire. Je ne comprends pas plus que toi.

Francis lança la lettre dans la boîte. Kyle la ramassa et lut à voix haute le court message écrit à la main.

— « *You NEVER had a brother.* » Qu'est-ce que ça veut dire ?

Il fixa le papier froissé.

— Au début, reprit-il, j'ai pensé que c'était toi qui m'envoyais ça pour me faire enrager.

— Ce n'est pas moi. J'ai reçu des lettres comme celle-là, moi aussi. Je ne sais pas quoi te dire. Ça signifie : « Tu n'as jamais eu de frère. »

— Francis ! Je ne suis pas con, je sais ce que ça signifie. Ce que je veux savoir, c'est ce que ça veut *vraiment* dire. C'est quoi le *sens* du message ?

Kyle se leva à son tour et fit quelques pas autour de la table à café, le bout de papier dans les mains, les yeux dans le vague. Il cherchait à comprendre.

— Je n'ai jamais eu de frère. C'est faux, évidemment, puisque tu es mon frère. Penses-tu que c'est quelqu'un qui a connu papa et maman et qui veut nous révéler un secret ou quelque chose ? Que tu aurais été adopté, par exemple ?

Francis s'intéressa du coup aux réflexions de son frère.

— Tu penses que j'ai été adopté ?

— Non, je ne pense pas. Mais sinon, pourquoi est-ce que cette personne voudrait me dire que je n'ai jamais eu de frère ? Peut-être que c'est moi qui ai été adopté.

Francis s'activa. Il arracha le papier des mains de son frère, le retourna dans tous les sens, l'examina longuement, persuadé que s'il le regardait encore avec insistance, un message secret apparaîtrait au verso et leur révélerait la signification de toute cette charade qu'il trouvait bien étrange.

— Est-ce qu'il y avait une adresse de retour sur l'enveloppe ?

— Non.

— Est-ce qu'on n'a pas un grand-oncle, ou une grand-tante, quelque chose, quelqu'un à qui on pourrait aller poser des questions à propos de papa et maman ?

Kyle réfléchit un instant. Il s'installa sur le divan défoncé et posa ses pieds sur la petite table à café.

— J'imagine que maman avait de la famille dans la région, des cousins peut-être. Pour papa, ça m'étonnerait, et comme sa famille est dispersée partout aux États-Unis, ça risque d'être difficile de retrouver quiconque si on ne connaît même pas leurs noms. Il faudrait mettre la main sur le registre des gens qui sont venus aux funérailles de grand-maman et on pourrait peut-être essayer de les contacter pour leur poser des questions.

— Attends, soupira Francis. Ça ne peut pas être ça.

Il s'effondra sur le divan à côté de Kyle. Son sourire s'effaça et son visage perdit toute trace d'excitation.

— Pourquoi pas ? Je ne vois pas autre chose, à moins que…

Francis coupa la parole à son frère.

— J'ai reçu un message du même genre à Montréal il y a plusieurs années, avant de partir en Espagne, qui me disait que je n'avais jamais eu de chat. Ça coïncidait avec la disparition d'Hubert. Puis il est réapparu en Oregon cet été, pas longtemps avant que je reçoive un deuxième message du genre par rapport à Léa. Alors ça ne peut pas être lié à notre famille, mais juste avec moi. Quelqu'un essaie de me faire chier, je pense.

— En quoi est-ce que le message que j'ai reçu peut servir à te faire chier ? Tu devais être sur ton île quand je l'ai reçu. Et puis, c'est quoi cette histoire avec Léa et Hubert ?

— C'est rien, laisse tomber.

— Non, Francis, je vais pas laisser tomber. C'est quoi cette histoire ? Je veux savoir.

Francis n'avait pas du tout envie d'être honnête avec son frère et de tout lui raconter. Mais comme la soirée se passait plutôt bien, finalement, et comme il en avait déjà trop dit, il n'avait plus le choix. Il se lança alors dans un long récit. Il lui expliqua tout : la disparition du chat, le message anonyme laissé dans sa boîte aux lettres, les derniers moments avec Léa en Oregon, le chat qui réapparaît dans une boîte, le message lancé de la fenêtre d'une voiture qui quitte le stationnement de l'aéroport, tout. Kyle éclata de rire, évidemment, lorsque Francis finit par se caler dans un fauteuil, épuisé.

— C'est tout à fait invraisemblable !

Puis il se reprit.

— Excuse-moi, je ne devrais pas rire, mais c'est plus fort que moi.

— Non, c'est bon. Ris.

: :

— Alors, tu vas faire quoi ?

— Je vais rester à Montréal, je pense. Je viens de me trouver du travail dans une librairie, et je vais retourner à l'université, recommencer ma maîtrise et la finir, cette fois.

Francis pensa à cette idée qu'il venait d'avoir pour son projet de mémoire. Ça lui revenait rapidement, les réflexes d'étudiant, et il était content. Kyle sourit à son tour.

— Je suis content pour toi. Vraiment.

— Merci, ça fait plaisir à entendre !

Kyle garda les yeux sur la route et les mains sur le volant. Francis dévisageait son profil. Son frère était sincère. Il s'était trompé : Kyle avait changé, après tout.

La voiture ralentit et s'immobilisa à un feu rouge. Ils n'étaient plus très loin de la station-service où Francis devait rejoindre l'inconnu qui le ramènerait à Montréal. Son frère lui avait parlé de ce système de covoiturage organisé entièrement sur Internet. Il en avait profité pour jeter un coup d'œil et avait été impressionné par les prix ridicules que demandaient certains conducteurs. Il avait donc réservé une place avec Jean-Michel, qui conduisait une Honda Civic grise 2005.

— Tu me feras lire ton mémoire, si tu veux.

— Tu risques de trouver ça emmerdant, mais si tu insistes…

Le feu tourna au vert et la voiture se remit en marche.

Francis était impressionné par la sérénité de son frère. Autrefois, il aurait insisté pour connaître tous les détails de son plan, même ceux qu'il ignorait lui-même. Il lui aurait parlé du marché de l'emploi, lui aurait rappelé ses échecs, ses études qu'il avait abandonnées, le contrat d'enseignement qu'il avait dû résilier après la fugue d'un de ses élèves, la disparition de Léa, tout cela.

Il regarda par la fenêtre. Le boulevard avait bien changé depuis qu'il était parti. Des édifices se dressaient là où il y avait jadis de grands terrains de stationnement. Des gens marchaient sur les trottoirs, passaient d'un restaurant à l'autre. Les néons s'allumaient et donnaient à Francis l'impression qu'il se trouvait ailleurs, loin de ce qu'il connaissait, très loin.

— Hé oh ! Tu m'écoutais ?

— Oui.

Francis se tourna vers son frère et lui sourit.

— Alors, tu vas revenir bientôt ?

— Oui. Je te ferai signe dès que j'aurai quelques jours de congé.

Kyle ralentit et manœuvra afin d'entrer dans le stationnement de la station-service. Il immobilisa la voiture et regarda son frère.

— On est arrivés.

Il regarda par la fenêtre et désigna une voiture grise stationnée en retrait des pompes.

— Je pense que ton *lift* est là.

Francis prit son frère dans ses bras, puis sortit du véhicule, referma la portière et s'appuya sur la voiture quelques secondes. Il mit son sac sur ses épaules et s'éloigna en courant vers la Honda Civic grise 2005. Kyle sortit la tête par la fenêtre et hurla :

— Appelle-moi cette semaine !

Il mima le geste de parler au téléphone et réintégra son véhicule. Francis se dirigea vers celui qu'il croyait être Jean-Michel. Il lui serra la main nerveusement en se présentant.

— Vous êtes Jean-Michel ? demanda-t-il.

— Bonjour, Francis.

Jean-Michel sourit et relâcha la main de son passager.

— On n'attend personne d'autre. On peut y aller.

III — Vancouver

— *Good evening, sir! Welcome to the Alvin Balkind Gallery.*

— *Thank you for coming.*

— *Really good pictures, congratulations!*

— *Thanks.*

— *Thank you very much.*

— *I'm glad you came, thank you.*

Émile navigua entre les corps, saluant au passage un collègue, un ancien camarade de classe, des visages inconnus. Il fit le tour de la salle à la recherche de Pei Wu, peut-être, ou encore de Nicolas Teillol, quelqu'un de pas tout à fait neutre face à son travail, quelqu'un pour le rassurer. Il s'assit sur un banc, devant les grandes fenêtres qui donnent sur la rue Nelson. Il feuilleta le programme et prit un certain plaisir à lire des phrases comme: « *The use of the collage technique brings Picasso to mind and Emile DeSanti's photographs are not that far removed from cubism, except that they are definitively contemporary.* » Ça le faisait rire, cette impression d'irréalité qu'il ressentait lorsqu'il lisait ce que d'autres avaient écrit à propos de son travail, des phrases comme celle-ci: « L'androgynéité des personnages de l'exposition *Le Nouvel Homme Nouveau* rend caduque l'imagerie sexuelle véhiculée par la pornographie individualiste que dénonce l'artiste. »

Émile se leva et jeta le dépliant dans la corbeille près de la porte des toilettes. Il arpenta de nouveau la pièce et s'arrêta derrière Nicolas Teillol, qu'il venait tout juste d'apercevoir. Son ami observait une photographie intitulée *Angoisse musculaire 4.1*. Sur celle-ci, le collage était si bien réussi qu'on pouvait croire qu'il s'agissait en fait d'une véritable personne. C'était troublant et même effrayant. Le fond de la photo était blanc et les ombres très noires suggéraient que la lumière venait d'en dessous de la terre, sous le personnage. Les contours du corps étaient flous, mais on devinait parfaitement jusqu'aux pores de la peau. Les muscles saillaient et les traits étaient exagérés par cette luminosité particulière. Le personnage avait une tête de femme, de longs cheveux noirs, le visage très pâle. Ses lèvres étaient immenses, pulpeuses mais sèches. Son nez était fin, longiligne et droit, ses yeux profonds et ronds. La photo était en noir et blanc, mais on pouvait deviner qu'il s'agissait d'une femme européenne, peut-être une Danoise. Son visage avait un petit quelque chose de nordique que l'on reconnaissait à la blancheur de sa peau et à la courbe de ses joues. Toutefois, devant cette photographie, on pouvait se demander si le visage ne résultait pas d'un collage, lui aussi. Parce que ces lèvres et ce nez, avec ces yeux, et les cheveux noirs… vraiment, tout cela paraissait surréaliste, trop intense. Émile observa son ami descendre son regard vers le cou du personnage. Un cou de femme, peut-être celui de la même femme que le visage. Un cou un peu plus foncé, par contre, légèrement plus musclé.

Puis, le torse et l'abdomen. Des clavicules saillantes, unisexes. Monstrueuses, même. Il n'y avait que la peau pour cacher l'os que l'on distinguait parfaitement et qui semblait sortir du corps. Les épaules étaient davantage masculines, mais toujours aussi saillantes, trop maigres pour être musclées. La peau des pectoraux était une touche plus foncée que celle du cou et on devinait un peu de poil autour des mamelons du personnage. On devinait aussi un peu de poil à partir du sternum, une mince ligne qui descendait vers les abdominaux musclés et qui s'enroulait autour du nombril avant de former un carré assez fourni au bas du ventre, là où un muscle en forme de V embrassait les hanches et semblait pointer vers les organes génitaux. Les bras du personnage reposaient le long de son corps, et ses mains trop grandes tendaient l'élastique d'un sous-vêtement sans marque, descendu sous le pubis. On voyait la naissance d'un sexe masculin, ce que confirmait la proéminence qui remplissait le caleçon. Du caleçon émergeaient des cuisses résolument féminines, abondantes et très blanches. Les genoux étaient posés à l'envers sur le corps étrange. On ne voyait pas les pieds du personnage puisqu'il (ou elle) se tenait debout dans une chaudière. Il n'y avait pas d'autre décor pour compléter le portrait. Nicolas Teillol recula, comme pour se protéger du personnage immonde, mais ne put détacher son regard du collage. Jusqu'à ce qu'Émile, derrière lui, feigne de tousser.

— Monsieur Teillol.

Nicolas se retourna.

— Monsieur DeSanti, répondit-il.

Il serra la main d'Émile et s'efforça de sourire, comme s'il voulait dissimuler un certain malaise.

— Belle exposition !

— Merci ! Qu'est-ce que tu en penses ? demanda Émile en pointant le collage.

Nicolas Teillol hésita.

— Euh… Eh bien, c'est… euh…

Il toussa un peu, mit ses mains dans ses poches, les ressortit aussitôt, contempla ses ongles, porta celui du pouce droit à sa bouche, puis tenta une réponse.

— C'est euh… très étrange. Mais… hum… euh…

Tandis qu'il tentait d'ajouter autre chose, Émile éclata de rire.

— Mais voyons, calme-toi !

Nicolas Teillol ricana.

— Tu sais, je n'ai pas l'habitude des trucs comme ça. Je ne sais pas trop quoi dire, mais ça fait très professionnel.

— Merci, Nicolas.

Il était sincère. Émile ne s'attendait pas à de grands compliments de la part de son ami, mais si celui-ci reconnaissait le professionnalisme de ses photographies, c'était suffisant. Il crut bon de donner quelques explications à Nicolas Teillol.

— C'est un peu comme ces livres qu'on avait quand on était petits, ceux dans lesquels les pages sont coupées en trois et qu'on peut tourner pour obtenir différents agencements. Tu vois de quoi je veux parler ?

— Oui, absolument.

— J'ai fait ce collage-là pas longtemps après ma première rencontre avec Pei. C'est peut-être pour ça que ça a l'air si étrange, après tout. Parce que c'était probablement la semaine la plus étrange de toute ma vie.

— Hum, acquiesça Nicolas Teillol. C'est... très intéressant.

— Merci.

— Est-ce que tu vends beaucoup ?

— Pas mal, répondit Émile. Pas mal. Tu vois, dit-il en prenant son ami par l'épaule pour faire pivoter son corps en direction du mur, la petite pastille rouge en dessous de la photo, ça veut dire que quelqu'un l'a réservée. Je n'ai pas compté encore, mais je pense qu'il y en a quatre, peut-être cinq.

— Et c'est bon ?

— Très bon ! À mon dernier vernissage, je n'ai rien vendu.

Émile éclata de rire et se dirigea vers les grandes vitrines. Il observa un moment les passants déambuler dans la pénombre annonçant la nuit. Une fois extrait de ses rêveries, il se retourna vers Nicolas Teillol.

— As-tu été faire un tour à la boutique de la galerie ?

— Non, pas encore. Pourquoi ?

— Tu viens avec moi? Je veux aller voir quelque chose.

Nicolas Teillol suivit son ami jusqu'à la boutique. Émile se dirigea d'un seul pas vers le rayon des catalogues et fouilla les tablettes du regard. Il s'arrêta sur une pile posée de face et s'empara du premier exemplaire.

— *The Equation of Time*, lut Nicolas Teillol. Qu'est-ce que c'est ?

— Je ne l'ai pas regardé encore. C'est une rétrospective des cinq dernières années préparée par la

Contemporary Art Gallery. J'ai quelques photos qui sont publiées là-dedans. Ils nous ont demandé d'écrire un texte sur notre vision du temps, comment on l'intégrait dans notre production. C'est le thème du livre.

Nicolas Teillol prit un exemplaire dans la pile et consulta l'index.

— Tu es à la page cent soixante-trois, dit-il.

Simultanément, Émile et Nicolas Teillol tournèrent les pages et restèrent un moment silencieux, chacun à lire le texte qui concernait Émile.

Puis Nicolas Teillol rompit le silence.

— C'est franchement intéressant. Je pense que je vais l'acheter. C'est bien écrit, pas difficile à comprendre. Est-ce que tu reçois un pourcentage sur les ventes ?

— Pas un pourcentage, mais un certain montant pour les photos. Je ne sais pas trop. J'ai signé un contrat de publication, mais je ne l'ai pas lu avec attention. Je pense que je vais recevoir un montant forfaitaire pour les photographies publiées. Je ne paierai pas grand-chose avec cet argent-là !

Il observa une pause.

— Tu trouves que c'est intéressant pour vrai ? demanda-t-il ensuite. Je n'ai dit que des conneries.

— Comment, des conneries ? Je n'ai pas tout lu, mais ton idée de courts-circuits me semble vraiment géniale. Attends, laisse-moi lire.

Il chercha des yeux un passage dans le texte, puis lut à voix haute.

— « *Time short-circuits with places and people. We are all somebody somewhere sometime. And that keeps changing, every second. I could be somebody else, somewhere else, if I was not here and now.* »

— Bla bla bla, interrompit Émile d'un geste de la main.

Il referma le livre que tenait Nicolas Teillol.

— C'est nul, je t'en prie, arrête !

— Non, je te jure que ce n'est pas nul. Pas du tout.

Nicolas Teillol se dirigea vers la caisse. Émile déposa l'exemplaire qu'il feuilletait sur les tablettes et sortit de la boutique. Il se dirigea de nouveau vers la galerie, où il allait devoir prendre la parole d'une minute à l'autre.

Nicolas Teillol porta la main à son oreille et fit signe à son ami qu'ils devaient se téléphoner. Il prit le paquet que lui tendait la caissière et poussa les grandes portes vitrées. Il s'engouffra dans la nuit fraîche de la ville et régla son pas sur celui de l'homme qui marchait devant lui. Émile le regarda s'éloigner dans la rue Nelson, vers le sud. Il se secoua après quelques secondes d'inertie et rejoignit le directeur de la galerie, qui lui faisait de grands signes.

::

— *I've made reservations at the Gotham Steakhouse. It's my treat.*

Émile n'avait pas vraiment envie de se joindre au personnel de la galerie, mais puisque le vernissage était le sien, il aurait été étrange qu'il refuse l'invitation. Le directeur avait probablement réservé un salon privé et Émile pourrait en profiter pour boire et manger gratuitement des tas de trucs qu'il ne buvait ni ne mangeait d'habitude. Des trucs trop chers, ou encore des trucs inconnus, des plats aux noms français qui ne lui disaient pourtant rien.

Voyant qu'il ne répondait pas, le directeur de la galerie renchérit.

— *We've got the Club Room for ourselves...*

— *Yeah, sure. I'm in.*

Le groupe passa les portes vitrées, qu'un gardien s'empressa de verrouiller de l'intérieur. La nuit était largement entamée, l'air était frais, presque froid, un peu humide. Quelqu'un s'arrêta au coin de la rue et empêcha le groupe de s'engager dans Seymour Street. L'inconnu s'avança vers Émile et lui tendit la main. Il le remercia pour l'exposition, lui fit quelques compliments qui se voulaient gentils, mais qui parurent assez bizarres. Il était intoxiqué, de toute évidence. Émile lui sourit et se sépara de sa poignée de main, qui ne voulait pas se terminer. L'individu s'éloigna, tourna à gauche dans Seymour alors que le groupe prenait à droite.

Ils passèrent devant l'Orpheum Theatre, dont les néons étaient tous allumés. De grands posters en vitrine annonçaient les prochains concerts de l'Orchestre symphonique de Vancouver. Émile s'attarda un instant. Il n'avait jamais mis les pieds dans ce théâtre, mais sa vue l'amusait toujours beaucoup. Il aimait particulièrement la grande affiche émergeant du haut du mur de l'édifice et lui donnant un air rétro qui emplissait Émile d'une nostalgie un peu stupide. Le théâtre ne lui rappelait rien, mais il ne pouvait s'en empêcher ; chaque fois qu'il passait par-là, chaque fois qu'il voyait un édifice comme celui-là, un cinéma, un théâtre, peu importe, il se sentait lourd et fatigué, il avait envie d'y entrer pour se reposer, ne rien faire, ne rien dire, s'asseoir, simplement, et regarder les gens bien habillés entrer et sortir. Il était fasciné par cette architecture de vaudeville, par le tape-à-l'œil des néons animés, des couleurs et des textures. Les tapis rouges, la dorure des portes, le faste des escaliers, tout cela. Émile ralentit le pas, mais fut rapidement pressé par une voix qui l'interpelait.

— *DeSanti. Are you coming?*

Plus loin, Émile s'arrêta de nouveau et leva les yeux vers le ciel. Il se tenait maintenant au pied des trente-six étages de la Scotiabank Tower et s'imagina un instant que l'édifice s'écroulait sur lui. Il proposa aux autres de se rendre plutôt au Harbour Centre, tout en haut, pour manger au Top of Vancouver Restaurant d'où la vue sur la ville serait superbe. Émile avait envie de s'extasier devant quelque chose, il se sentait d'humeur contemplative. Il n'avait pas envie de manger du steak dans un salon privé éclairé à la chandelle. Ce soir, il avait besoin de grandes fenêtres, d'une vue. On lui rétorqua qu'il était trop tard, que le restaurant était probablement fermé, et qu'en plus, le samedi, c'est préférable de réserver, peu importe l'endroit. C'est inacceptable de se présenter dans un restaurant passé minuit si on ne vous y attend pas.

Ils traversèrent Georgia Street et s'arrêtèrent tout juste avant Dunsmuir, presque sous la station Granville du Skytrain. Le directeur de la galerie ouvrit la porte et les invités s'engouffrèrent les uns après les autres dans le restaurant. Émile attendit qu'ils soient tous entrés pour faire semblant de passer la porte à son tour, puis tourner sur lui-même deux fois avant de prendre la fuite.

Il courut jusqu'à West Hastings, tourna à droite après l'hôtel Delta et ne s'arrêta qu'une fois chez lui.

Pei Wu dormait déjà. Émile prit une douche, mangea un yogourt debout dans la cuisine, devant la grande fenêtre. Il lava la cuillère, jeta le pot vide et se glissa sous les couvertures. Il s'endormit aussitôt et rêva d'un furet qui assassinait des gens en leur tranchant la gorge avec ses petites dents acérées.

IV — Paris

— Je ne savais pas que tu étais revenue… Je suis content de te voir !

Son père s'éclipsa pour laisser passer Léa et l'homme qui l'accompagnait. Il ne posa aucune question. Il savait qu'il n'obtiendrait pas de réponse. Il devait laisser à Léa le soin de lui raconter ce qu'elle voudrait bien lui raconter. Elle avait toujours été ainsi.

Léa enleva ses souliers. Son ami fit de même. Elle se dirigea vers le salon, suivie des deux hommes, qui restaient silencieux. Elle prit place dans un fauteuil blanc et invita ses hommes à s'asseoir sur le canapé. Ils s'exécutèrent sans qu'un mot fût prononcé. Elle les menait comme une reine.

— Papa, je te présente Edward Shonda. Edward, mon père, Jules Jolivet.

Edward Shonda et Jules Jolivet se serrèrent la main en échangeant les politesses d'usage. Léa toussa, son père lui sourit, Edward lissa son pantalon.

— Edward vient de Chicago. Nous nous sommes rencontrés à Paris il y a quelques années. Tu te souviens, papa, du projet sur lequel je travaillais avec Djamilla pour la télé ?

— Vaguement, répondit le père.

— Le projet n'a jamais abouti et on a passé des semaines à bosser pour rien, mais bref, Edward était venu travailler avec nous quelques jours pour le son et tout. Nous nous sommes revus cet été. Il fabriquait des décors pour un théâtre de San Francisco.

— Et vous venez vous installer à Paris maintenant ? voulut savoir Jules.

— Non, pas exactement, répondit Edward, qui parlait un français impeccable, sans l'ombre d'un accent. En fait, je suis venu régler des trucs légaux, par rapport à mes papiers.

— Son visa expire bientôt, précisa Léa.

— Je pensais le renouveler, ajouta Edward, mais maintenant nos plans sont plutôt d'aller vivre au Canada ou aux États-Unis.

Jules Jolivet parut surpris. Il fronça les sourcils.

— J'ai eu quelques propositions, des rôles au cinéma, dit Léa. Je viens d'ailleurs de terminer de tourner un film qui va sortir l'an prochain en France, je pense. La réalisatrice a d'autres projets, alors j'irai auditionner pour elle à Seattle bientôt.

— Bon, c'est une bonne nouvelle, j'imagine, dit Jules Jolivet après quelques secondes de silence. Vous voulez quelque chose à boire ? demanda-t-il en se levant.

— Un Perrier pour moi, dit Léa.

— Edward, un merlot peut-être ?

— S'il vous plaît, monsieur, répondit Edward en se levant. Vous avez besoin d'aide ?

— Non, je t'en prie, reste assis. Et on se tutoie, pas vrai ?

Jules Jolivet disparut dans la cuisine et revint aussitôt avec deux verres de vin et une bouteille d'eau minérale. Léa reprit la parole.

— On hésite entre la côte Ouest et Chicago. Pour le travail, j'aurais peut-être plus de chances à Seattle ou à Vancouver, comme beaucoup de films y sont tournés. Mais Chicago est une ville superbe et les parents d'Edward y habitent encore, alors…

— Hum, répondit le père de Léa.

— Pour l'instant, on va se rendre à Vancouver et on verra ensuite, ajouta Léa.

Edward ne disait rien. Il regardait par la fenêtre les terrasses, les toits, les arbres. Paris allait lui manquer, mais il n'appartenait plus à cette ville, désormais. Léa non plus, d'ailleurs. Francis lui avait tant vanté l'Amérique qu'elle s'y sentait désormais chez elle n'importe où. Mais Paris allait lui manquer, à elle aussi.

— Vous reviendrez ? demanda Jules Jolivet.

— Oui, bien sûr, répondit Edward.

::

Léa n'avait pas prononcé un mot depuis qu'ils avaient quitté l'appartement de son père. Elle ne le disait pas, mais elle ressentait une grande nostalgie à traverser Paris en voiture, le XIIIe arrondissement en particulier, celui où elle avait grandi. Son père l'avait probablement fait exprès. Il aurait été beaucoup plus rapide de prendre le périphérique à Ivry-sur-Seine, puis de sortir par la porte de la Chapelle dans le XVIIIe pour rejoindre l'autoroute du Nord jusqu'à l'aéroport. Jules Jolivet était plutôt entré par la porte d'Ivry et s'était rendu jusqu'à la place d'Italie. Léa admira l'édifice de la mairie, la fontaine du square au centre de la place, les restaurants et les cinémas de l'avenue des Gobelins. La voiture tourna sur le boulevard Saint-Marcel et passa par la gare d'Austerlitz et le Jardin des Plantes avant de traverser la Seine par le pont d'Austerlitz. Jules Jolivet emprunta ensuite la rue de Lyon et s'embourba dans le trafic de l'après-midi. Edward se préoccupa du retard que cela allait leur occasionner.

— Ne t'inquiète pas, j'ai prévu le coup, lui répondit aussitôt Jules Jolivet.

À la place de la République, au lieu de continuer vers le nord, la voiture tourna vers l'ouest et traversa le XIe arrondissement, longeant le cimetière du Père-Lachaise par l'avenue Gambetta dans le XXe. Puis Jules Jolivet se résigna enfin à rejoindre le périphérique. La petite visite leur coûta plus d'une heure trente, mais ils arrivèrent à temps à Charles-de-Gaulle pour le vol de quinze heures trente de la British Airways en direction de Londres. De là, ils prendraient de nouveau l'avion vers Vancouver, où ils ne débarqueraient qu'une heure plus tard, même après un vol de dix heures, en raison du décalage horaire.

V — Oakland, Maine

Il tapa son nom dans l'espace prévu à cet effet sur la page d'accueil du moteur de recherche, comme ça, sans savoir si cela allait donner quelque résultat que ce soit. Il y avait bien longtemps qu'il n'avait pas pensé à elle. Elle ne lui avait jamais écrit après qu'elle fut partie. Il n'avait pas espéré qu'elle le fasse non plus.

Il classait certains dossiers dans son bureau et avait trouvé, dans une boîte, une photo d'eux prise un soir d'août alors que le soleil rouge se couchait sur le lac. Ils étaient assis côte à côte au bout du quai. Quelqu'un, un touriste probablement, avait immortalisé le moment et lui avait ensuite envoyé la photo par la poste. On ne voyait pas leurs visages puisqu'ils regardaient le lac. Il l'avait quand même tout de suite reconnue. Ses longs cheveux noirs, son dos délicat, la petite robe à bretelles : c'était bel et bien Ariane avec lui, sur le quai. C'était une quinzaine d'années plus tôt, déjà. Ses cheveux à lui commençaient à peine à grisonner. Cela lui fit drôle, comme s'il prenait soudainement conscience du temps qui s'était écoulé. Il ne rajeunissait pas, comme tout le monde, mais il ne s'en était pas aperçu. Il était trop occupé par la gestion de l'auberge, par les repas à préparer, les chaises à repeindre chaque printemps, les bateaux à entreposer puis à ressortir l'été venu, les fleurs à planter, tout cela l'avait empêché de se rendre compte qu'il aurait bientôt soixante ans et qu'il n'avait personne à qui léguer l'auberge que son père avait tenue avant lui. Il avait quoi… quarante-deux ans sur cette photographie ? Elle en avait à peine vingt. Ç'avait été une histoire complètement débile, il avait appris à l'admettre avec le temps, une fois qu'elle fut partie. Une histoire fragile, un amour d'été pour elle, sans aucun doute, quelque chose de plus profond pour lui, comme le veut le cliché.

Il regarda l'image une fois de plus. L'eau reflétait les couleurs du ciel, un mélange crémeux de rose et d'orangé. Il y avait une chaloupe sur la gauche. Un homme à bord pêchait. Leurs deux corps à eux, soudés l'un à l'autre au bout du quai. Sa tête à elle posée sur son épaule à lui. Son bras à lui autour de sa taille à elle. Il n'arrivait pas à se souvenir du moment précis où cette photo avait été prise, peut-être parce qu'ils avaient vu tous les couchers de soleil de cet été-là.

Il posa la photo sur son bureau et appuya sur une touche pour lancer la recherche. Quelques secondes plus tard, plusieurs résultats s'affichèrent à l'écran, tous en français. Olden lut quelques titres sans comprendre de quoi il était question. Il frissonna lorsqu'il remarqua la photo d'Ariane suivie d'un numéro de téléphone sans frais. Il se souvint alors qu'il était possible de faire traduire les résultats en anglais par le moteur de recherche. Quelques clics plus tard, Olden fut en mesure de lire les traductions incertaines de plusieurs articles de journaux québécois et d'un avis de recherche émis par la Sûreté du Québec.

36 years old woman of missing reported Quebec
September 3, 2008

The Safety of Quebec requests the collaboration of the population in order to find Ariane Fréchette, 36 years old, of Quebec, reported missing since July 29, 2008.

It was to go to Vancouver at the begginning of the month d'August. She had said to her close relations she took two weeks of holidays to find an old friend there. She was seen for the last time in a bus of the Greyhound line bound for Sudbury, in Ontario. She could be import where in Canada with l'west of l'Ontario. The Safety of Quebec opened an investigation and put at contribution several of its specialists until now.

Physical description:

Race: White

Cut: 1,67 m.

Weight: 54 kg.

Eyes: Brown

Hair: Black

Disappeared the express in French. She also speaks English.

Distinctive sign: it has a tattooing forms d' of it; star behind l'left ear.

Several checks were carried out in order to find disappeared and the Safety of Quebec requires of any person holding any type of information concerning disappeared to communicate with them. Any information being able to make it possible to the police to find this person can be communicated to the 1.800.659-4264.

Le texte était truffé d'incohérences en raison de la traduction instantanée, mais Olden s'affola quand même. Il ne détenait aucune information récente concernant Ariane, mais il ne put s'empêcher de prendre le téléphone sur son bureau et de composer le numéro mentionné dans l'avis. Il ne se soucia pas de l'heure ni de l'impertinence de son appel. Il laissa sonner une fois, puis raccrocha avant d'appeler de nouveau. On lui répondit en français.

Il raccrocha de nouveau.

Et recomposa le numéro pour la troisième fois.

VI — Montréal

— J'ai l'impression de toujours me répéter, de dire sans cesse la même chose à tout le monde que je croise.

— C'est normal, tu viens tout juste de revenir et de prendre ta décision.

Francis rigola un peu.

— Je sais bien ! Et toi, quoi de neuf? demanda-t-il à Mehdi, sachant très bien que sa question était tout à fait idiote.

Ils s'étaient retrouvés par hasard il y avait quelques dizaines de minutes à peine et ils parlaient déjà librement comme de vieux amis qui s'étaient vus la veille. En fait, Francis avait entretenu l'espoir de croiser Mehdi depuis qu'il était de retour à Montréal. Il n'avait pas provoqué la rencontre et avait soigneusement évité de retourner au café où ils avaient fait connaissance huit ans plus tôt, mais les grandes pluies d'automne l'avaient entraîné au pied de la montagne et il s'était promené près d'une heure sur le campus de l'Université McGill, transi par le froid, les vêtements détrempés, brassant dans sa tête de vieux souvenirs, avant de pousser plus à l'ouest dans la rue Sherbrooke comme il avait l'habitude de le faire dans le temps et d'entrer dans le petit café en bas du chemin de la Côte-des-Neiges.

Francis avait feint la surprise en voyant Mehdi derrière le comptoir, mais il savait que leurs retrouvailles étaient inévitables. Il n'aurait pu dire pourquoi, mais il était convaincu que son ami était revenu au Québec et qu'il travaillait toujours au même endroit. L'incident espagnol n'était qu'un accident de parcours, et Mehdi n'en avait en effet pas gardé de mauvais souvenirs. Ils s'étaient serré la main, s'étaient excusés tous les deux, puis ils avaient rapidement convenu qu'il valait mieux ne plus en parler parce qu'ils ne ressentaient aucune amertume, ni l'un ni l'autre.

— Euh... bonne question, répondit Mehdi. Je me suis acheté une nouvelle voiture ! Mais ce n'est pas très intéressant... En fait, je t'ai dit tout ce qu'il y avait d'essentiel à dire, je crois bien.

Francis pensa un instant à son frère. Leurs retrouvailles à eux s'étaient aussi bien passées que celles avec Mehdi. Trop bien. Les choses s'arrangeaient rapidement et cette idée déconcertait Francis, qui n'y était pas habitué. Quelque chose cloche, se disait-il, mais quoi ? Il n'arrivait pas à mettre le doigt sur ce qui provoquait l'étrangeté qu'il ressentait.

— Francis ?

— Oui, quoi ?

— Je t'ai demandé si tu voulais un peu d'eau chaude pour ton thé.

Francis regarda le contenu de sa tasse. Il n'avait pris qu'une gorgée.

— Non, ça va. Merci.

Mehdi se rassit. Parce qu'il s'était levé. Il avait probablement fait le tour du café pour voir si quelqu'un avait besoin de son aide. Sa collègue, la même qu'avant, la fille du propriétaire pensa Francis, lui avait peut-être dit de ne pas s'inquiéter, que tout allait bien et qu'il pouvait retourner s'asseoir avec son ami. Ce qu'il avait fait.

Francis regarda par la fenêtre. Les dernières feuilles qui s'accrochaient encore aux arbres tombaient sous la pluie violente. Les passants étaient rares. Rien n'avait changé. Il y a huit ans, à la même date, j'étais assis à cette même table, dans ce même café, pensa-t-il. Je regardais probablement le même paysage par la même fenêtre. Je lisais, peut-être. Camus ou Flaubert. Ou Kafka. Hemingway. Ça non plus, ça n'a pas changé. La semaine dernière, j'ai relu *La Chute*, pour la millième fois.

Il regarda sa montre. Il avala le reste de son thé d'une seule gorgée et se pencha pour prendre son sac sous la table. Il se leva et serra la main de Mehdi.

— Écoute, il faut que j'y aille, je travaille ce soir. J'habite à Montréal maintenant.

— Je sais, Francis, tu me l'as dit tout à l'heure. Tu m'as aussi donné ton numéro de téléphone…

— Alors appelle-moi, d'accord ?

Mehdi sourit.

— Oui, sans faute. À condition que tu viennes travailler ici, de temps en temps, comme avant…

Francis marmonna quelque chose pour éviter de devoir clairement énoncer un oui ou un non.

Mehdi se leva à son tour.

— À bientôt !

VII — Vancouver

— Je devrais appeler mes parents, tu penses ? demanda Émile.

— Pourquoi ?

Pei Wu n'était pas encore tout à fait réveillé. Il roula sur le côté et ramena les couvertures par-dessus sa tête.

— Je ne sais pas...

Émile croqua dans une pomme et s'essuya le coin de la bouche du revers de la main.

— Pour leur donner de mes nouvelles, leur dire que je suis encore vivant.

Pei Wu se redressa à demi en s'appuyant sur ses coudes.

— T'as vraiment envie de parler à tes parents ? demanda-t-il, surpris.

— Non, mais je me dis que c'est peut-être le temps de leur donner signe de vie.

— Écris une lettre, dans ce cas-là, souffla Pei Wu en se laissant tomber sur le dos. J'ai faim, t'as préparé quelque chose pour dîner ?

— Non, je n'ai rien préparé. J'ai répondu à mes courriels. Il y avait un étudiant d'Emily Carr qui faisait un reportage sur les anciens pour le journal de l'école et qui m'a posé des questions étranges. J'ai mis presque deux heures à lui répondre.

— Quel genre de questions ?

— Des trucs comme « pourquoi fais-tu de la photo ? » Le con. Est-ce que je le sais, moi, pourquoi je fais de la photo ?

Pei Wu se leva et enfila une robe de chambre. Il noua la ceinture autour de sa taille et fixa Émile.

— Tu dois bien le savoir, voyons ! Qu'est-ce que tu lui as répondu ?

— Je lui ai dit que je faisais de la photo pour rendre la vie plus réelle et moins tragique, et aussi pour m'amuser.

— C'est tout ?

— Comment, c'est tout ? Qu'est-ce que tu voulais que je lui réponde ?

Pei Wu arpenta la pièce. Il ouvrit les rideaux, tira la toile vers le bas pour la faire remonter et entrebâilla la fenêtre. Il respira un instant l'air frais du dehors et frissonna.

— Je ne sais pas, il doit y avoir d'autres raisons que celles-là, des raisons plus… euh… des raisons plus intelligentes, je dirais.

Il entendit immédiatement ce qu'il venait de dire et se reprit aussitôt.

— Je dis pas ça en pensant que t'es pas intelligent, mais tu sais, il doit y avoir une manière plus… euh… une façon plus réfléchie de parler de tes motivations, non ?

Émile se coucha sur le lit et ferma les yeux.

— Je ne suis pas capable de parler de ces choses-là, moi. Je fais de la photo parce que j'ai envie de faire de la photo. Oui, des fois je trouve ça chiant, des fois j'aimerais avoir choisi quelque chose d'autre comme métier, mais en général j'aime ça et j'ai l'impression d'être fait pour ça. Mais je suis pas un intellectuel, je suis pas capable de parler de moi en citant des philosophes, je saisis mal mes motivations. Tout ce que je sais, c'est que je fais de la photo, je fais des montages, j'expose, et c'est comme ça que je gagne ma vie, en construisant une œuvre qui me ressemble.

— C'est ce que tu aurais dû lui dire, à mon avis, au journaliste. Il aurait peut-être été impressionné par ta franchise.

Émile se leva et se dirigea vers le coin cuisine du grand studio. Il s'enfonça la tête dans le réfrigérateur.

— Bon, qu'est-ce que tu veux manger ? Du poulet ? Du poisson ?

— Du poulet, répondit Pei Wu.

— Alors ce sera du poulet, dit Émile en refermant la porte du frigo.

VIII — Montréal

Le téléphone ne cessait de sonner, mais Francis ne décrochait pas. Il n'avait envie de parler à personne. Il n'avait pas besoin de s'habiller avant midi, puisqu'il ne commençait à travailler qu'à quinze heures. Il était resté éveillé toute la nuit et avait lu pour la dixième fois peut-être un court essai de définition de la littérature, un argumentaire sur son utilité et sur la pertinence des études littéraires, dans l'espoir de trouver sa propre réponse à la question *pourquoi je fais ce que je suis en train de faire*. Il n'y était pas arrivé, bien sûr, mais la fatigue lui avait laissé croire qu'il était sur une bonne piste, que les choses continueraient de s'arranger, que tout irait, finalement, que ce n'était pas vraiment un piège.

Il se leva dès que le téléphone eut cessé de sonner. Il but un verre de lait, alluma et éteignit la télévision, enfila des pantoufles. Le voyant lumineux du répondeur clignotait. Francis appuya sur un bouton :

« Francis, c'est Léa. J'espère que tu vas bien. Je t'envoie un courriel à l'instant avec mon numéro de téléphone à Vancouver. Appelle-moi si tu veux. »

Francis effaça le message. La voix de Léa avait réveillé en lui un début de colère qu'il ne souhaitait pas alimenter.

Il alluma l'ordinateur afin de lire ses messages électroniques. Il supprima le courriel de Léa sans même l'ouvrir. Il ne l'appellerait pas.

Il se laissa tomber sur le lit et ferma les yeux. Il réfléchissait mieux les yeux fermés. Léa avait donc choisi de partir et elle s'était rendue à Vancouver. Bon, jusque-là, l'histoire avait du sens. Ce qui n'en avait pas, c'était le fait que Léa soit partie et qu'elle ne lui ait rien dit, qu'elle ne lui ait pas laissé de message, qu'elle ait demandé à la réception du motel d'appeler tôt le matin pour réveiller Francis, que le chat soit soudainement apparu dans une boîte, Francis se demandait pourquoi, pourquoi, pourquoi. Comment, aussi. Comment Léa savait-elle qu'il était à Montréal ? Comment avait-elle obtenu son numéro de téléphone ?

Francis en avait assez de se poser ces questions. Il se leva et froissa le souvenir de Léa dans sa tête. Il ne l'appellerait pas. Il ne lui écrirait pas. Il la détesterait, plutôt. Parce que, se dit-il, oublier quelqu'un que l'on déteste est forcément plus facile qu'oublier quelqu'un que l'on aime encore. Francis allait donc tout faire pour la détester. Puis il allait transformer cette haine en indifférence, pour se rendre compte un jour qu'il ne ressentait plus rien pour elle, qu'elle n'existait pour ainsi dire plus du tout dans son imaginaire. Puis, plus tard il se surprendra à penser à elle. Il se dira alors qu'il l'aime encore, malgré tout, qu'une fois que l'on a aimé quelqu'un, cette personne ne peut disparaître de notre vie à tout jamais, elle doit inévitablement faire partie de nous comme notre enfance fait partie de nous, même si l'on a trente ans passés et qu'on ne se souvient plus de ce que c'était que d'être libre et de n'avoir aucun tourment. Il l'aimera ainsi toute sa vie, sans s'en rendre compte la plupart du temps, sans même avoir besoin de la revoir, jamais.

Francis n'aimait pas la façon dont ce petit scénario se terminait, mais il fallait être lucide, les choses se passeraient probablement ainsi, puisque c'était ça, la vie…

: :

Il y eut des jours où il aurait préféré dormir, ne rien faire, boire de l'eau et regarder dans le vide. Des jours où il pouvait passer des heures à l'ordinateur à jouer à des jeux en ligne, à relire quinze fois le même message, à s'attarder sur un site Web sans intérêt. Il y eut des jours où il ne savait plus comment occuper son temps, où il se demandait pourquoi il avait choisi cette voie plutôt qu'une autre. La natation, tiens. Il aurait d'ailleurs été en bien meilleure forme physique. Il y eut des jours où il avait le souffle coupé s'il se penchait, des jours où ses omoplates le faisaient souffrir, des jours où aucune position, ni assise ni couchée, ne pouvait le soulager de ce point au milieu du dos qui le torturait. Des jours où tous ses membres craquaient pour protester contre le manque d'activité et la mauvaise posture qu'on leur imposait, pour protester contre toutes ces boîtes qu'il soulevait au travail, des jours où ses sinus étaient incrustés de poussière de vieux papier, des jours comme ceux-là où il voulait tout abandonner.

Il y eut d'autres jours où il aimait se promener dans l'automne agonisant, des jours où l'odeur du vent lui donnait envie de pleurer. Il y eut des jours où il se félicitait d'avoir perdu son temps, d'avoir erré pendant toutes ces années avant de choisir ce qu'il avait envie de faire. Oui, il y eut des jours où sa vie lui semblait trop belle, où les matins n'en finissaient plus de sentir bon. Ces jours étaient plutôt rares, mais il les savourait.

La plupart du temps, il travaillait, il allait au cinéma, il prenait le métro ou l'autobus. La plupart du temps, il devait se rendre à l'épicerie pour acheter quelque chose à manger, il devait passer au guichet automatique pour payer ses comptes, il devait aller chercher du dentifrice à la pharmacie. La plupart du temps, il avait l'air de quelqu'un de tout à fait normal.

Parce que c'était désormais le but qu'il caressait, faire comme les gens normaux, devenir l'un d'eux, l'un de ceux qui finissent les projets entamés avant de passer à autre chose.

ÉPILOGUE
Francis
Les fuseaux horaires

Comme un loup qui viendrait au monde
Une deuxième fois
Dans la peau d'un chat
Je me sens comme une fontaine
Après un long hiver
Et j'en ai l'air

J'ai laissé ma fenêtre ouverte
À sa pleine grandeur
Et je n'ai pas eu peur

— Jean-Pierre Ferland, *Le petit roi*

Aux pôles, tous les fuseaux horaires se rencontrent, comme le font les méridiens. À l'endroit exact où cette rencontre a lieu, il peut être n'importe quelle heure, midi comme minuit, même dix-huit heures trente-cinq. Bien sûr, s'il est dix-huit heures trente-cinq, il faut qu'ailleurs il soit minuit trente-cinq, ou encore midi trente-cinq. Il peut aussi être treize heures cinq ou une heure cinq, parce que certains pays ou territoires expriment l'heure en demies, comme Terre-Neuve ou l'Afghanistan. Ce que la plupart des gens ignorent, c'est que certains pays ont choisi des heures trois-quarts comme heures légales. Le Népal est du nombre. Une partie de l'Australie aussi, ainsi que les îles Chatham en Nouvelle-Zélande. Ce qui fait que, au pôle Nord géographique, s'il est vingt heures cinq, il peut aussi être dix-neuf heures cinquante ou vingt heures vingt. Tout cela dépend de l'heure, évidemment. L'heure moyenne de Greenwich, désormais remplacée par le temps universel coordonné, est le résultat d'une équation assez complexe visant à calculer l'écart entre le temps solaire moyen et le temps solaire vrai. Le temps universel coordonné se situe entre le temps universel et le temps atomique international. Mais il faut considérer l'orbite de la Terre, qui est elliptique (et non ronde), et aussi le fait que les méridiens sont des lignes imaginaires qui se déplacent constamment en raison des variations des pôles. Je simplifie, il va sans dire, et je fais des erreurs. Je ne suis pas un physicien.

Habituellement, pour éviter de sombrer dans la folie lorsqu'on se trouve aux pôles (ce qui est assez inhabituel, j'en conviens), la convention veut que l'on adopte l'heure du fuseau horaire UTC+0, c'est-à-dire l'heure du méridien de Greenwich. Par contre, certaines stations scientifiques ou militaires préfèrent utiliser l'heure légale de leur pays de rattachement. Ce qui ne cause pas de problème pour les plus petits pays qui ne connaissent qu'une heure légale. Mais la Russie, par exemple, qui est le plus grand pays du monde, compte onze fuseaux horaires.

Au moment d'écrire ces lignes, il est quatorze heures quarante-deux au Québec. Vingt heures quarante-trois à Bagdad (écrire est un acte qui s'inscrit dans le temps, il faut donc comprendre que chaque phrase naît après la précédente, quelques fois plusieurs minutes plus tard). Quatre heures quatorze, le lendemain matin, à Darwin, en Australie. Huit heures quarante-cinq le jour même, à Fakaofo, dans le Pacifique. De quoi devenir dingue, oui.

Les fuseaux horaires sont une invention écossaise. Sandford Fleming est né en Écosse, mais il a vécu et travaillé au Canada. Les deux pays se partagent la paternité d'un système qui a mis un peu d'ordre dans le chaos universel du temps et des horloges. C'est un personnage très important de l'histoire canadienne.

On lui doit, entre autres, les timbres postaux et la fondation de l'Institut royal canadien, désormais connu sous le nom de Royal Canadian Institute for the Advancement of Science, dont le siège social est rattaché à l'Université York, à Toronto. Cette société, à l'heure qu'il est, en ce mois de novembre 2008, est la plus vieille du genre au Canada et est patronnée par la représentante de la reine en sol canadien, Son Excellence la Très Honorable Michaëlle Jean, Gouverneure générale et Commandante en chef du Canada. Michaëlle Jean est née à Port-au-Prince en Haïti. Sa famille s'est installée à Thetford Mines, au Québec, en 1968. Elle a gagné un prix Gémeau en 2001. Tout cela me rappelle qu'il y a une famille royale au Canada, qu'on le veuille ou non, et je constate aussi que je me suis éloigné de mon propos avec ce dernier paragraphe.

: :

J'écris pour ne pas mourir.

: :

Après toutes ces années, je ne comprends toujours pas l'équation du temps. Et je n'ai plus envie d'essayer de la déchiffrer. J'imagine qu'il faut que j'accepte mon ignorance. Que je reconnaisse que je ne comprendrai jamais et que je cesse d'essayer de tout rationaliser. Certains événements, certaines personnes et certaines choses ne se laissent pas saisir par les lois auxquelles je me suis habitué avec les années. J'ai pensé aussi que le recul me permettrait d'avoir plus de perspective, que la maturité m'apporterait des réponses à toutes les questions que l'univers m'a posées. Ou que je me suis posées moi-même. Mais il n'y avait pas plus faux. J'ai aujourd'hui l'âge que j'ai et j'appréhende la vie du haut de ces années, mais je ne suis pas plus sage qu'un autre, je ne suis pas plus avancé qu'il y a dix, quinze ans. Mes parents sont morts, ma grand-mère aussi, ma copine est disparue (puis réapparue, en quelque sorte…), j'ai récupéré mon chat et il est toujours là, j'ai un appartement, un colocataire, pas beaucoup d'amis, et je ne comprends toujours pas ce qui m'a mené ici. Bien sûr, je suis capable de retracer mon parcours, je peux même en parler, c'est assez linéaire en fin de compte. Mais…

Mais le temps a passé. Le temps continue de passer. Le temps a arrangé certains trucs, oui, c'est peut-être la seule chose que l'on dit à propos du temps qui soit encore vraie. Ça, et que le temps passe trop vite, peut-être.

Le temps ne s'arrêtera pas, il ne nous permettra pas de faire tout ce que l'on veut faire, de régler les problèmes que l'on voudrait régler. Nous vivons dans un état d'urgence que rien ne vient expliquer, pas même la physique, parce que le temps, finalement, on a beau vouloir l'appréhender de toutes les façons possibles, il ne se laissera jamais saisir.

C'est peut-être pour cela que j'écris cette histoire, finalement : pour essayer de saisir le temps, à défaut de pouvoir le dominer conceptuellement. Du moins, c'est ce que je tente de faire. Parce qu'il est fuyant, le salaud, et qu'il ne s'arrêtera jamais pour nous laisser le temps d'écrire tout ce que l'on a envie d'écrire.

Même si on raconte toujours la même histoire.

::

Je ne suis pas omniscient. Je ne sais pas tout. J'invente, des fois. Souvent.

J'ai reçu un colis ce matin. L'enveloppe était blanche, il n'y avait pas d'adresse de l'expéditeur. Le cachet de la poste indiquait que la lettre venait de Montréal. Quelqu'un de pas très loin, donc. Jeremy est venu cogner à ma porte.

— J'ai fait une omelette aux asperges. Tu en veux ?

Les omelettes de Jeremy sont les meilleures que j'aie jamais mangées. J'ai dit oui, bien entendu.

J'ai pris quelques bouchées, puis une gorgée de jus d'orange. Jeremy lisait le journal. Il a levé les yeux vers moi.

— Francis.

— Mouais, j'ai dit, la bouche pleine.

— J'ai une amie française qui vient à Montréal cette semaine. Je ne l'ai pas vue depuis longtemps, elle habite à Chicago maintenant avec son nouveau copain. Ou dans l'Ouest. Je n'ai pas trop compris son histoire l'autre jour au téléphone. Ça te dérange si je lui propose de dormir ici, dans le salon ?

— Non, Jay, absolument pas.

Il m'a souri, a murmuré quelque chose en guise de remerciement et s'est replongé dans la lecture du journal. J'en ai profité pour ouvrir le colis que j'avais apporté avec moi.

J'ai déchiré la grosse enveloppe à bulles et j'ai découvert un petit bout de papier. Un papier blanc, arraché à un cahier probablement. Un papier blanc au verso duquel il n'y avait rien d'écrit, rien d'imprimé. Au recto, une phrase écrite à la main. J'ai tout de suite reconnu l'écriture. Bien que le texte soit en français, cette fois, je savais que ça venait de la même personne. Même si son message était un peu plus élaboré que les précédents.

Rien de tout ce qui t'arrive n'est réel.

J'ai déchiré le papier, j'ai fait une boule des retailles de l'enveloppe. Une petite boule que j'ai lancée dans le bac bleu de la récupération.

Puis je me suis levé.

PIERRE-LUC LANDRY

Ce texte est né du hasard, comme tout le reste d'ailleurs. Il m'a enchanté et exaspéré. Je me suis souvent découragé, mais il est là et il existe désormais, et c'est un livre que vous lirez peut-être ou que vous avez déjà lu, puisque ces quelques phrases lui servent de conclusion. Avec *L'équation du temps*, donc, j'ai cherché à dire quelque chose sur le réel, à travers un exercice de style, à travers cette sorte d'essai d'architecture romanesque. Ce que je poursuis, dans l'écriture, c'est le plus vrai que vrai, la transcendance, l'épiphanie. Une sorte de connexion avec l'une des vérités possibles. Je souhaite propager ces instants qui, ailleurs, me font baisser les bras et ouvrir la bouche en gémissant un « c'est ça, c'est exactement ça ». Est-ce que j'ai réussi ? Ce n'est pas à moi de le déterminer. De toute manière, écrire est l'œuvre d'une vie. Et je ne fais que commencer.

CARLOS HENRIQUE REINESCH

Carlos Henrique Reinesch est un photographe originaire de Belo Horizonte, au Brésil. À ses débuts comme photographe amateur, il s'exerçait à toutes les techniques qui se trouvaient à sa portée. Déjà, il inventait son propre style et imposait la facture visuelle qui caractérise l'ensemble de son œuvre. C'est d'abord en partageant ses images sur Internet que Carlos s'est fait connaître. Les nombreux commentaires positifs qu'il a reçus l'ont encouragé à poursuivre son travail. Aujourd'hui, il se spécialise dans la photographie conceptuelle. Son approche surréaliste aux couleurs vives est principalement inspirée du peintre belge René Magritte. Par ailleurs, sa pratique de la photographie de rue est influencée par le savoir-faire du maître français Henri Cartier Bresson.

ACHEVÉ D'IMPRIMER EN MARS 2013
SUR DU PAPIER 100 % RECYCLÉ
SUR LES PRESSES DE MARQUIS IMPRIMEUR,
QUÉBEC, CANADA.